O VAMPIRO
JOHN POLIDORI

CARMILLA
SHERIDAN LE FANU

CONHEÇA NOSSO LIVROS
ACESSANDO AQUI!

Copyright da tradução e desta edição ©2022 por Claudio Blanc

Título original: The Book of the Dead
Textos originais de domínio público. Reservados todos os direitos desta tradução e produção.

Direitos reservados e protegidos pela lei 9.610 de 19.2.1998.
Nenhuma parte deste livro pode ser reproduzida, arquivada em sistema de busca ou transmitida por qualquer meio, seja ele eletrônico, xérox, gravação ou outros, sem prévia autorização do detentor dos direitos, e não pode circular encadernada ou encapada de maneira distinta daquela em que foi publicada, ou sem que as mesmas condições sejam impostas aos compradores subsequentes.
1ª Impressão 2023

Presidente: Paulo Roberto Houch
MTB 0083982/SP

Coordenação Editorial: Priscilla Sipans
Coordenação de Arte: Rubens Martim
Tradução: Claudio Blanc (O Vampiro), Natália Hugen (Carmilla)
Revisão e Preparação de Texto: Mirella Moreno
Apoio de Revisão: Gabriel Hernandez e Leonan Mariano

Vendas: Tel.: (11) 3393-7727 (comercial2@editoraonline.com.br)

Impresso no Brasil.
Foi feito o depósito legal.

Dados Internacionais de Catalogação na Publicação (CIP) de acordo com ISBD

P766v   Polidori, Hohn
          O Vampiro / Hohn Polidori. - Barueri : Camelot Editora, 2023.
          112 p. ; 15,1cm x 23cm

          ISBN: 978-65-85168-65-6

          1. Literatura inglesa. 2. Ficção. I. Título.

2023-2392   CDD 823.91
                       CDU 821.111-3

Elaborado por Odilio Hilario Moreira Junior - CRB-8/9949

Direitos reservados ao
IBC — Instituto Brasileiro de Cultura LTDA
CNPJ 04.207.648/0001-94
Avenida Juruá, 762 — Alphaville Industrial
CEP. 06455-010 — Barueri/SP
www.editoraonline.com.br

SUMÁRIO

O VAMPIRO   7
de John Polidori

CARMILLA   31
de Joseph Sheridan Le Fanu

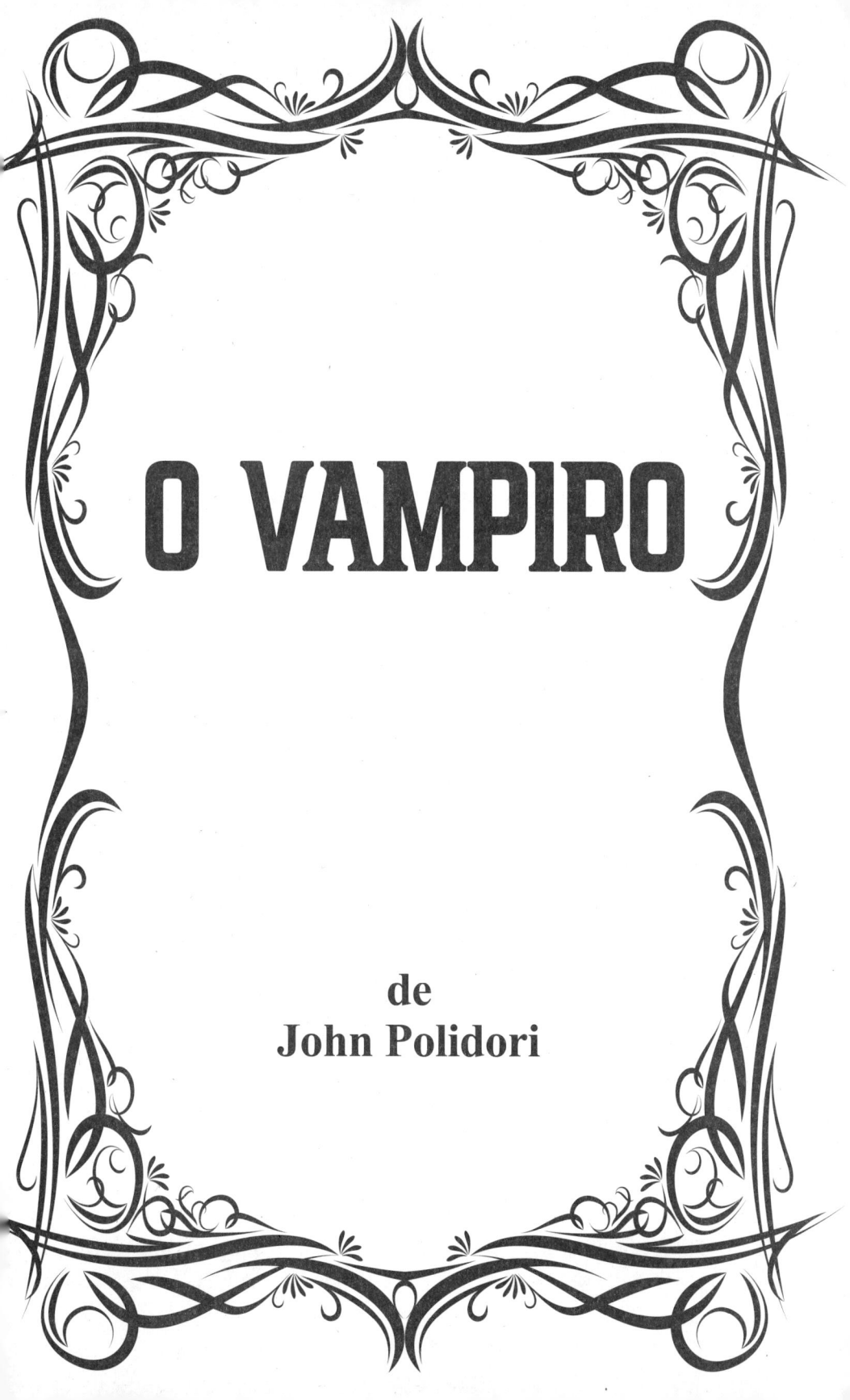

O VAMPIRO

de
John Polidori

O VAMPIRO

Aconteceu que, em meio às dissipações decorrentes de um inverno londrino, apareceu nas várias festas dos grandes da sociedade um nobre, mais notável por suas singularidades do que por sua posição. Ele olhava a alegria ao seu redor como se dela não pudesse participar. Aparentemente, o leve riso das belas moças apenas atraía sua atenção, para que pudesse reprimi-lo com um olhar e lançar o medo naqueles seios onde reinava a imprudência. Aqueles que sentiram essa sensação de admiração não conseguiram explicar de onde ela surgia. Alguns a atribuíram aos olhos de um cinza mortiço, que, fixando-se na face do sujeito, não pareciam penetrá-lo, mas, num piscar de olhos, tornavam-se capazes de perfurar até as partes internas do coração; e recair sobre a face com um raio plúmbeo que pesava sobre a pele que o impedia de penetrar.

Suas peculiaridades fizeram com que ele fosse convidado para frequentar todas as casas. Todos desejavam vê-lo, e aqueles que estavam acostumados à agitação violenta e agora sentiam o peso do tédio ficaram satisfeitos por ter algo em sua presença que fosse capaz de atrair sua atenção. Apesar da tonalidade mortal de seu rosto, que nunca adquiria um tom mais quente, seja pelo rubor da modéstia, seja pela forte emoção da paixão, embora sua forma e contorno fossem belos, muitas das mulheres que caçavam alguma notoriedade tentaram ganhar sua atenção e conseguir, pelo menos, alguns sinais daquilo que poderiam chamar de afeto: Lady Mercer, que tinha sido a chacota de todos os monstros exibidos nos salões desde seu casamento, jogou-se em seu caminho e fez tudo, exceto vestir-se como um palhaço, para atrair sua atenção, mas em vão. Quando ela estava diante dele, embora seus olhos estivessem aparentemente fixos nos dela, ainda assim parecia que nada observavam. Até mesmo com sua insolência imperturbável ficava perplexa, e então desistia. Mas, embora a adúltera comum não pudesse influenciar nem mesmo a direção de seus olhos, não é que o sexo feminino fosse indiferente a ele. Mesmo assim, tal era a aparente cautela com que falava

O Vampiro

com as virtuosas esposas e filhas inocentes, que poucos sabiam que ele dirigia-se às mulheres. Ele tinha, no entanto, a reputação de possuir uma língua cativante, e fosse porque isso superava o medo provocado por seu caráter singular, ou porque eram tocadas por seu aparente ódio ao vício, ele convivia tão frequentemente entre aquelas mulheres que se gabavam de seu sexo por suas virtudes domésticas quanto entre aquelas que o manchavam com seus vícios.

Mais ou menos na mesma época, chegou a Londres um jovem cavalheiro chamado Aubrey: ele era um órfão com uma única irmã, e na posse de uma grande fortuna, deixada por pais que morreram enquanto ele ainda era criança. Ficou também subordinado a tutores, que julgavam ser seu dever apenas cuidar de sua herança, enquanto entregavam o encargo mais importante de educar sua mente aos cuidados de mercenários subalternos. Assim, ele cultivou mais sua imaginação do que seu julgamento. Ele tinha, portanto, aquele elevado sentimento romântico de honra e franqueza, que diariamente arruina tantos aprendizes de modis-

O Vampiro, por Philip Burne-Jones (1897).

John Polidori

tas. Acreditava que todos simpatizavam com a virtude, e pensava que o vício foi lançado em cena pela Providência apenas para efeito pitoresco, como vemos nos romances; achava que a miséria de uma choupana não ia além das vestimentas de seus moradores, tão quentes quanto quaisquer outras, mas que se adaptavam melhor ao olho do pintor ao mostrar suas dobras irregulares e várias manchas coloridas. Pensava, enfim, que os sonhos dos poetas eram as realidades da vida.

Ele era bonito, franco e rico: por essas razões, ao entrar nos círculos festivos, muitas mães o cercavam, num esforço que deveria descrever, do pior jeito, quais eram as mais fracas e estúpidas. As filhas, ao mesmo tempo, exibiam seus semblantes alegres quando ele se aproximava, e seus olhos brilhavam quando ele abria os lábios, e logo o induziam a falsas noções de seus talentos e méritos. Apegado como estava ao romance de suas horas solitárias, ficou surpreso ao descobrir que, exceto nas velas de sebo e cera que tremeluziam, não pela presença de um fantasma, mas pelo aviso que logo se apagariam, não havia fundamento na vida real para qualquer um dos amontoados de imagens e descrições agradáveis contidas naqueles volumes, a partir dos quais ele baseou seu estudo. Encontrando, porém, alguma compensação na sua vaidade gratificada, estava prestes a abandonar os seus sonhos, quando o ser extraordinário que acima descrevemos cruzou o seu caminho.

Ele o observou, e a própria impossibilidade de formar uma ideia do caráter de um homem inteiramente absorto em si mesmo, que dava poucos sinais de notar objetos externos além do consentimento tácito à existência deles, algo que estava implícito no ato de evitar seu contato, permitiu que sua imaginação e tudo o que estimulava sua propensão a ideias extravagantes o levassem a transformar esse objeto no herói de um romance, e a resolver observar o fruto de sua fantasia, em vez da pessoa diante dele. Familiarizou-se com ele, fez-se conhecer, e avançou tanto nessa investida que sua presença finalmente foi reconhecida. Aos poucos viu que os negócios de lord Ruthven estavam falidos e logo descobriu, vendo os preparativos na Rua ***, que ele estava prestes a viajar. Desejando obter alguma informação a respeito desse personagem singular, que até agora apenas lhe aguçara a curiosidade, deu a entender

O Vampiro

aos seus tutores que era chegado o momento de realizar uma viagem, que durante muitas gerações se considerou necessária para permitir aos jovens dar alguns passos rápidos na corrida do vício, equiparando-se aos mais velhos, e não permitindo que parecessem cair das nuvens sempre que intrigas escandalosas fossem mencionadas para gerar brincadeiras ou elogios, de acordo com o grau de habilidade demonstrado ao fazê-lo. Eles consentiram, e Aubrey, imediatamente mencionando suas intenções a lord Ruthven, ficou surpreso ao receber dele uma proposta para acompanhá-lo em sua viagem. Lisonjeado por tamanha demonstração de estima por parte dele, que, aparentemente, nada tinha em comum com outros homens, aceitou-a de bom grado, e em poucos dias já haviam atravessado as águas circunvizinhas.

Até então, Aubrey não tivera oportunidade de estudar o caráter de lord Ruthven, e agora ele descobria que, embora muito mais de suas ações fossem expostas à sua opinião, os resultados ofereciam conclusões diferentes dos motivos aparentes de sua conduta. Seu companheiro era abundante em generosidade — o ocioso, o vagabundo e o mendigo recebiam de suas mãos mais do que o suficiente para aliviar suas necessidades imediatas. Mas Aubrey não pôde deixar de observar que não era aos virtuosos, reduzidos à indigência pelos infortúnios que acompanham até mesmo a virtude, que ele concedia suas esmolas — estes eram atirados da porta com um escárnio dificilmente reprimido. Porém, quando o perdulário vinha pedir algo, não para aliviar suas carências, mas para permitir que ele se afundasse em sua luxúria, ou que caísse ainda mais em sua iniquidade, recebia uma rica caridade. Isso foi, no entanto, atribuído por Aubrey à maior importunação dos viciados, que geralmente prevalece sobre a timidez retraída dos indigentes virtuosos.

Havia algo sobre sua caridade que ficou ainda mais gravada na mente de Aubrey: todos aqueles a quem era concedida, inevitavelmente descobriram que havia uma maldição sobre ela, pois todos acabaram sendo conduzidos ao cadafalso, ou afundaram-se na miséria mais baixa e abjeta. Em Bruxelas e em outras cidades por onde passaram, Aubrey ficou surpreso com a aparente ânsia com que seu companheiro procurava pelos centros de todos os vícios da moda, e neles entrava com espírito pronto para as mesas de jogo. Apostava e sempre tinha sucesso, exceto quando o seu opositor era mais estrategista, então perdia ainda mais do que ganhara, porém, sempre com o mesmo rosto imutável, com o qual geralmente observava a sociedade ao redor.

Não era assim, no entanto, quando ele encontrava o jovem novato imprudente ou o infeliz pai de uma família numerosa. Então seu próprio desejo tornava-se a lei do destino, e sua aparente abstração da mente era deixada de lado, fazendo com que seus olhos brilhassem com mais fogo do que os do gato quando brinca com o rato meio morto. Em cada cidade, ele deixava um jovem anteriormente rico, arrancado do seu círculo, amaldiçoando, na solidão de uma masmorra, as mãos do destino que o haviam levado ao alcance desse demônio. Deixou muitos pais se sentarem desvairados, em meio aos olhares falantes de crianças mudas e famintas, sem um único centavo de sua outrora imensa riqueza, para comprar o suficiente para satisfazer suas necessidades.

No entanto, ele não tirava dinheiro da mesa de jogo, mas imediatamente perdia, para aquele que arruinara muitos outros, a última moeda que acabara de arrebatar das garras incontroláveis dos inocentes. Isso poderia ser apenas o resultado de um certo grau de conhecimento, que não era, porém, capaz de combater a astúcia dos mais experientes.

Aubrey frequentemente desejava questionar esse comportamento de seu amigo e implorar-lhe que renunciasse àquela caridade e prazer que provara ser a ruína dos demais. Tal coisa não contribuía para seu próprio lucro. Contudo, ele adiava tal confronto e esperava que seu amigo lhe desse alguma oportunidade de falar franca e abertamente sobre isso. Entretanto, isso nunca ocorreu.

Lord Ruthven, em sua carruagem e em meio aos vários cenários selvagens e ricos da natureza, era sempre o mesmo: seus olhos falavam menos que seus lábios, e embora Aubrey estivesse perto daquele que despertava sua curiosidade, não obtinha dele nenhuma gratificação além da excitação constante de querer em vão quebrar aquele mistério, que para sua imaginação exaltada começou a assumir a aparência de algo sobrenatural.

    Logo chegaram a Roma, e Aubrey por um tempo perdeu de vista seu companheiro. Deixou-o a participar do círculo de amigos de uma condessa italiana, todas as manhãs. Entrementes, ele ia conhecer os memoriais de alguma outra cidade quase deserta. Nesse meio-tempo, chegaram cartas da Inglaterra, que ele abriu com grande impaciência. A primeira era de sua irmã, contendo nada além de carinho. As outras eram de seus tutores, e a última o surpreendeu. Se antes confabulara que havia um poder maligno em seu companheiro, a carta parecia dar-lhe razão suficiente para nisso acreditar. Seus tutores insistiram para que ele se afastasse imediatamente do amigo, uma vez que seu caráter era terrivelmente vicioso, pois possuía poderes irresistíveis de sedução, tornando seus hábitos libidinosos ainda mais perigosos para a sociedade. Descobriu-se que seu desprezo pelas adúlteras não se originara no ódio ao caráter delas, mas que ele havia exigido, para aumentar sua gratificação, que suas vítimas e parceiras em culpa, fossem arremessadas do pináculo da virtude imaculada até o mais profundo abismo da infâmia e degradação. Em suma, que todas aquelas mulheres que ele procurou, aparentemente por causa de suas virtudes, desde a sua partida, jogaram a máscara de lado e não tiveram escrúpulos em expor toda a deformidade de seus vícios ao olhar público.

    Aubrey decidiu então deixar aquele cujo caráter ainda não havia mostrado um único ponto brilhante em que se pudesse pousar o olhar. Resolveu inventar algum pretexto plausível para abandoná-lo completamente, propondo-se, enquanto não ia embora, vigiá-lo mais de perto e não deixar que nenhuma circunstância, por menor que fosse, passasse despercebida. Frequentou o mesmo círculo de amizades de Ruthven e logo percebeu que o nobre estava tentando tirar vantagem da inexperiência da filha da senhora em cuja casa ele mais se fazia presente.

    Na Itália, raramente uma mulher solteira é encontrada em eventos da sociedade. Aubrey foi, portanto, obrigado a realizar seus planos em segredo. Contudo, os olhos do rapaz seguiram Ruthven por todos os lados, e ele logo descobriu que um encontro havia sido marcado, o

John Polidori

que provavelmente terminaria na ruína de uma moça inocente, embora imprudente.

Sem perder tempo, ele entrou nos aposentos de lord Ruthven e perguntou-lhe abruptamente suas intenções em relação à dama, informando-o, ao mesmo tempo, que sabia que ele estava prestes a encontrá-la naquela mesma noite. lord Ruthven respondeu que suas intenções eram as que qualquer homem teria em tal ocasião, e ao ser pressionado se pretendia se casar com ela, apenas riu. Aubrey retirou-se e, imediatamente, escreveu um bilhete, dizendo que a partir daquele momento, precisaria recusar acompanhar vossa nobreza no restante da viagem proposta. Ordenou que seu criado procurasse outro lugar onde pudesse ficar e, visitando a mãe da jovem dama, informou-a de tudo o que sabia, não apenas com relação à filha dela, mas também com relação ao caráter do nobre em questão. O encontro dos dois foi, então, impedido. lord Ruthven, no dia seguinte, simplesmente enviou seu criado para notificar que estava de total acordo com a separação, mas não insinuou nada sobre os planos que haviam sido frustrados pela interposição de Aubrey.

Tendo deixado Roma, Aubrey dirigiu-se para a Grécia e, cruzando a península, logo estava em Atenas. Então, fixou residência na casa de um grego e se ocupou em traçar os registros já desbotados da antiga glória, inscritos nos monumentos que, aparentemente envergonhados de terem apenas escravos para narrar os feitos dos homens livres, esconderam-se sob o solo protetor ou líquen[1] multicolorido. Sob o mesmo teto que ele, vivia uma criatura tão bela e delicada que poderia servir de modelo para um pintor que desejasse retratar na tela a prometida esperança dos fiéis no Paraíso de Maomé, exceto que seus olhos falavam demais para que se pensasse que poderia pertencer a alguém que não tivesse alma.

Enquanto ela dançava nas planícies ou tropeçava ao longo da encosta das montanhas, alguém poderia pensar que a gazela não teria como ser comparada a ela em beleza, pois quem teria trocado seus olhos, aparentemente cheios de vida, por aquele olhar sonolento e luxurioso do

---

1 Líquen é uma forma de simbiose mutualística entre fungos e algas, podendo ter várias formas. (N. do R.)

O Vampiro

animal elegante adequado ao gosto de um epicurista[2]? O passo leve de Ianthe frequentemente acompanhava Aubrey em sua busca por antiguidades, e muitas vezes a moça inconsciente, engajada na perseguição de uma borboleta com asas semelhantes à caxemira, mostrava toda a beleza de sua forma, flutuando como se estivesse no vento. Tal cena o deixava desconcertado, esquecendo as letras que acabara de decifrar numa tabuleta quase apagada, na contemplação de sua aparência de sílfide[3]. Frequentemente, suas tranças caíam enquanto ela andava contra o vento, exibindo aos raios de sol, tão delicadamente, brilhantes matizes que logo tornavam-se foscos novamente, o que poderia perdoar a distração do jovem estudioso, o que poderia desculpar o esquecimento do antiquário, que deixava escapar de sua mente o próprio objeto que antes considerava de importância fundamental para a interpretação adequada de uma passagem em Pausânias[4]. Mas por que tentar descrever encantos que todos sentem, mas que ninguém pode apreciar?

Ela tinha inocência, juventude e beleza, não deflorados pelos salões lotados e bailes sufocantes. Enquanto ele desenhava aquelas ruínas, que desejava preservar em sua memória para horas futuras, ela ficava por perto e observava os efeitos mágicos de seu lápis, traçando as cenas de sua terra natal. Ela, então, descrevia para ele como eram as danças circulares realizadas na planície aberta, e pintava, com todas as cores vívidas de sua memória juvenil, a pompa de um casamento que lembrava ter visto em sua infância. Daí, voltando-se para assuntos que evidentemente causaram maior impressão em sua mente, contava a ele todas as histórias sobrenaturais que ouvira de sua ama de leite. Sua seriedade e aparente crença no que narrava despertaram o interesse de Aubrey, e sempre que ela lhe contava a história do vampiro vivo, que passara anos entre seus amigos e familiares mais queridos, forçado a alimentar-se da vida de uma adorável mulher para prolongar sua existência pelos meses

---

2 O epicurista enfatiza a busca do prazer e a tranquilidade da alma, como objetivos fundamentais para uma vida feliz e bem-sucedida. (N. do R.)
3 Criatura mitológica geralmente retratada como um ser etéreo, delicado e feminino, associada ao elemento ar. (N. do R.)
4 Pausânias foi um historiador e geógrafo grego que viveu durante o século II d.C. (N. do R.)

seguintes, seu sangue gelava, enquanto ele tentava fazê-la rir de tais fantasias ociosas e terríveis. Mas Ianthe citou nomes de alguns anciões que detectaram um vampiro vivendo entre eles, depois que vários de seus parentes próximos e filhos foram encontrados com a marca do apetite do demônio. E quando viu nele tanta incredulidade, implorou que acreditasse nela, pois era dito que os céticos sempre recebiam alguma prova sobre sua existência, o que os obrigava, com pesar e desgosto, a admitir que era verdade. Ela detalhou a aparência tradicional desses monstros, e o horror dele aumentou ao ouvir uma descrição bastante precisa de lord Ruthven. No entanto, ainda persistiu em persuadi-la de que não poderia haver verdade em seus medos, embora ao mesmo tempo se perguntasse sobre as muitas coincidências que tendiam a estimular sua crença no poder sobrenatural de lord Ruthven.

Aubrey começou a se apegar cada vez mais a Ianthe. A inocência dela, tão contrastante com as virtudes desvirginadas das mulheres entre as quais ele havia procurado realizar sua visão de romance, conquistou seu coração. E, ao mesmo tempo em que ridicularizava a ideia de um jovem de hábitos ingleses se casar com uma moça grega sem educação, ele se encontrava cada vez mais encantado pela forma feérica diante dele. Às vezes se separava dela e, traçando um plano para alguma pesquisa de antiquário, partia, determinado a não retornar até que seu objetivo fosse alcançado. Contudo, sempre achava impossível fixar sua atenção nas ruínas ao seu redor, enquanto em sua mente retinha uma imagem que parecia ser a única proprietária legítima de seus pensamentos. Ianthe não tinha consciência de seu amor, e era sempre a mesma criatura francamente infantil que ele conhecera desde o início. Ela se separava dele com relutância, mas porque não tinha mais ninguém com quem pudesse visitar seus lugares favoritos, enquanto seu guardião estivesse ocupado em esboçar ou descobrir algum fragmento que ainda havia escapado da mão destrutiva do tempo. Ela apelou para que seus pais falassem sobre o assunto dos vampiros, e ambos, assim como várias pessoas presentes, afirmaram sua existência, pálidos de horror à simples menção do nome. Logo depois, Aubrey decidiu ir em uma de suas excursões, que deveria detê-lo por algumas horas. Quando ouviram o nome do lugar, todos

O Vampiro

imediatamente imploraram a ele que não voltasse à noite, pois ele deveria necessariamente passar por uma floresta onde nenhum grego jamais permaneceria depois que o dia terminasse, sob qualquer condição. Eles descreveram o local como um refúgio onde os vampiros realizavam suas orgias noturnas, e mencionaram os males mais pesados que iminentemente recairiam sobre aquele que ousasse cruzar seu caminho. Aubrey fez pouco caso de suas recomendações, e quase riu da ideia, mas quando os viu estremecer por causa de sua ousadia em zombar de um poder infernal superior, cujo próprio nome aparentemente fazia seu sangue gelar, ficou em silêncio.

Na manhã seguinte, Aubrey partiu para a sua excursão sozinho. Ficou surpreso ao notar o rosto melancólico de seu anfitrião, e preocupado ao descobrir que suas palavras, zombando da crença daqueles horríveis demônios, haviam inspirado neles tanto terror. Quando estava prestes a partir, Ianthe aproximou-se de seu cavalo e implorou-lhe sinceramente que voltasse antes que a noite permitisse que o poder desses seres fosse posto em ação. Ele prometeu. Ficou, porém, tão entretido em suas pesquisas, que não percebeu a luz do dia esvanecendo, mostrando no horizonte aquelas manchas que, nos climas mais quentes, tão rapidamente se juntam em uma massa tremenda de nuvens e derramam toda a sua raiva sobre a terra.

Embora finalmente tivesse montado em seu cavalo, determinado a compensar seu atraso pela velocidade, era tarde demais. O crepúsculo, nesses climas do sul, é imprevisível. O Sol se põe imediatamente, e a noite começa. Antes que avançasse, o poder da tempestade caiu sobre ele, e os trovões ecoando mal davam um intervalo de descanso. A chuva pesada e espessa forçou seu caminho, levando-o através da folhagem mais alta, enquanto raios azuis pareciam cair e irradiar, bifurcando-se aos seus pés. De repente, seu cavalo se assustou e correu em alta velocidade pela floresta emaranhada. Por fim, o animal parou de cansaço, e ele descobriu, pelo clarão de um raio, estar nas proximidades de uma choupana que mal emergia da massa das folhas mortas e do mato que a cercavam. Desmontando, ele se aproximou, esperando encontrar alguém que o guiasse até a cidade, ou pelo menos esperançoso em obter abrigo contra a tempestade. Ao se aproximar, os trovões, por um momento cessados, permitiram-lhe ouvir os gritos terríveis de uma mulher misturados com a zombaria abafada e exultante de uma risada, prolongada em um som quase ininterrupto.

Um trovão novamente ressoou sobre sua cabeça, e ele, com um esforço súbito, forçou a porta da choupana. Viu-se em meio à total escuridão. O som, porém, o guiou. Aparentemente, ele passou despercebido, pois, embora chamasse por alguém, ainda assim os sons continuavam e sua presença não era notada. Ele encostou em alguém, a quem imediatamente agarrou, quando uma voz gritou: — Mais uma vez perplexo! — seguido de uma gargalhada alta, e, logo em seguida, sentiu-se agarrado por alguém cuja força parecia sobre-humana. Determinado a vender sua vida o mais caro que pudesse, lutou. Foi, porém, em vão. Foi erguido e arremessado com enorme força contra o chão. Seu inimigo se jogou sobre ele e, ajoelhado sobre seu peito, colocou as mãos em sua garganta, quando o brilho de muitas tochas penetrando as frestas por onde a luz do dia entravam o perturbou. O atacante se levantou instantaneamente e, deixando sua presa, correu pela porta.

Em questão de segundos, o barulho dos galhos quebrados enquanto corria pela floresta não foi mais escutado. A tempestade, agora, acalmara, e Aubrey, incapaz de se mover, logo foi ouvido por aqueles que estavam do lado de fora da choupana. Eles entraram, e a luz de suas tochas iluminou as paredes de barro e o telhado de palha, cobrindo tudo com flocos pesados de fuligem. A pedido de Aubrey, eles procuraram por aquela cujos gritos o haviam atraído. Ele foi novamente deixado na escuridão, mas qual não foi seu horror, quando a luz das tochas mais uma vez irrompeu sobre ele, ao testemunhar a forma etérea de sua bela guia trazida como um cadáver sem vida. Ele fechou os olhos, esperando que fosse apenas uma visão criada por sua imaginação perturbada, mas reconheceu novamente a mesma forma, quando os abriu, estendida ao seu lado. Não havia cor em sua face, nem mesmo em seus lábios. Contudo, havia uma serenidade em seu rosto que parecia quase tão envolvente quanto a vida que outrora ali habitava. Em seu pescoço e peito havia sangue, e em sua garganta havia marcas dos dentes que abriram as veias. Os homens

apontaram o ferimento, chorando, tomados simultaneamente de horror.
— Um vampiro! Um vampiro!

Uma liteira foi improvisada rapidamente, e Aubrey foi deitado ao lado daquela que ultimamente fora para ele o objeto de tantas visões exuberantes e mágicas, agora caída com a flor da vida morta dentro dela. Ele não sabia o que pensar; sua mente estava entorpecida e parecia evitar a reflexão e se refugiar no vazio. Ele segurava quase inconscientemente em sua mão uma adaga desembainhada de um feitio particular, que havia sido encontrada na choupana. Eles logo foram recebidos por diferentes grupos, que estavam envolvidos na busca daquela por quem sua mãe esperava ansiosamente. Os gritos e lamentos, ao se aproximarem da cidade, preveniram os pais de alguma terrível catástrofe. Descrever sua dor seria impossível, mas quando verificaram a causa da morte da filha, olharam para Aubrey e apontaram para o cadáver. Estavam inconsoláveis, de coração partido até o final de suas vidas.

Aubrey ficou de cama, acometido por uma febre violenta, e frequentemente delirava. Nesses intervalos, invocava lord Ruthven e Ianthe. Por alguma combinação inexplicável, parecia implorar a seu antigo companheiro que poupasse a bela que amava. Em outras ocasiões, ele imprecava maldições sobre sua cabeça e o amaldiçoava por tê-la destruído. lord Ruthven, por acaso nesta época, chegou a Atenas e, não propositalmente, ao saber do estado de Aubrey, imediatamente instalou-se na mesma casa e tornou-se seu acompanhante constante. Quando este último se recuperou de seu delírio, ficou horrorizado e assustado ao ver aquele cuja imagem havia associado à de um vampiro. Mas lord Ruthven, com palavras gentis, implicando estar um pouco arrependido do deslize que havia causado sua separação, e ainda mais pela atenção, preocupação e cuidado que demonstrou, logo o reconciliou com sua presença.

Vossa nobreza parecia bastante mudada. Não parecia mais aquele ser apático que tanto surpreendera Aubrey. Entretanto, assim que começou a convalescer, o nobre gradualmente retornou ao mesmo estado de espírito, e Aubrey não percebeu nenhuma diferença em relação ao homem anterior, exceto que às vezes ele se surpreendia ao encontrar seu olhar fixo nele, com um sorriso de exultação maliciosa brincando em seus lábios. Ele não sabia por quê, mas aquele sorriso o assombrava. Durante o último estágio da recuperação, lord Ruthven estava aparentemente ocupado observando as ondas levantadas pela brisa refrescante, ou marcando o progresso dos astros, circulando, como o nosso mundo, o Sol imóvel. De fato, parecia desejar evitar os olhos de todos.

A mente de Aubrey, por causa desse choque, ficou muito enfraquecida, e aquela vivacidade de espírito que outrora tanto o distinguia, agora parecia ter desaparecido para sempre. Ele se tornara tão amante da solidão e do silêncio quanto lord Ruthven. Todavia, por mais que desejasse a solitude, sua mente não conseguia encontrá-la nos arredores de Atenas. Se ele a procurasse entre as ruínas que havia frequentado anteriormente, a forma de Ianthe estaria ao seu lado. Se a buscasse na floresta, o passo leve dela apareceria vagando no meio do bosque, à procura de modestas violetas. Então, virando-se repentinamente, sua imaginação selvagem mostrava o rosto pálido e a garganta ferida, com um sorriso manso nos lábios. Ele decidiu fugir dos cenários que traziam amargas memórias à sua mente. Propôs a lord Ruthven, a quem se mantinha ligado pelo terno cuidado que dele recebera durante sua doença, que fossem visitar as partes da Grécia que nenhum deles ainda tinha visto. Eles viajaram em todas as direções, e procuraram todos os lugares dos quais uma lembrança pudesse ser adquirida. Mas, embora se apressassem de um lugar para outro, pareciam não prestar atenção ao que contemplavam. Ouviram falar muito de ladrões, mas gradualmente começaram a desprezar tais relatos, imaginando ser apenas invenção de indivíduos, cujo interesse seria excitar a generosidade daqueles a quem se ofereciam para defender de falsos perigos.

Por negligenciar assim o conselho dos habitantes, em uma ocasião viajaram com apenas alguns guardas, mais para servir como guias do que para defendê-los. Ao entrar, porém, em um estreito desfiladeiro, no fundo do qual estava o leito de uma torrente, com grandes massas de rocha caídas dos precipícios vizinhos, tiveram motivos para se arrepender de sua negligência, pois enquanto todo o grupo passava pelo caminho estreito, foram surpreendidos pelo assobio de balas perto de suas cabeças e pelo eco de vários canhões. Em um instante, seus guardas os deixaram e, colocando-se atrás das pedras, começaram a atirar na direção de onde vinham as balas. lord Ruthven e Aubrey, imitando seu exemplo, retiraram-se por um momento atrás das rochas em uma curva do desfiladeiro, mas envergonhados por serem assim detidos pelo inimigo, que com gritos insultuosos ordenava que avançassem, e sendo expostos a uma matança sem resistência caso os ladrões subissem e os pegassem pela retaguarda, decidiram avançar imediatamente. Mal saíram do abrigo da rocha, e lord Ruthven recebeu um tiro no ombro, que o derrubou. Aubrey apressou-se em ajudá-lo e, não mais prestando atenção à disputa ou ao seu próprio perigo, logo ficou surpreso ao ver as faces dos ladrões ao seu redor, pois seus guardas, após o ferimento de lord Ruthven, imediatamente ergueram as armas e se renderam.

Com promessas de generosa recompensa, Aubrey logo os induziu a levarem seu amigo ferido até uma cabana vizinha. Tendo acordado um resgate, ele não precisava mais tolerar a presença deles. Os ladrões se contentaram apenas em guardar a entrada até que seu camarada voltasse com a quantia prometida, para a qual ele tinha uma ordem de pagamento. A força de lord Ruthven diminuiu rapidamente. Em dois dias, piorou demasiadamente, e a morte parecia avançar a passos apressados. Sua conduta e aparência não haviam mudado. Ele parecia tão inconsciente da dor quanto estivera das coisas ao seu redor. No final da última noite, porém, sua mente ficou aparentemente inquieta, e seus olhos se fixavam em Aubrey com mais frequência, o que o induziu a oferecer sua ajuda com mais urgência do que o normal.

— Ajude-me! Você pode me salvar! Você pode fazer mais do que isso... Não quero dizer salvar minha vida; eu ligo para o fim da minha existência tão pouco quanto ligo para o dia que passa, mas você pode salvar minha honra, a honra de seu amigo.

— Como? Diga-me como. Eu faria qualquer coisa! — respondeu Aubrey.

— Eu preciso de pouco. Minha vida se esvairá rapidamente, e não posso explicar tudo, mas se esconder tudo o que sabe sobre mim, minha honra estaria livre das máculas do falatório de todo mundo, e se minha morte ficasse em segredo por algum tempo na Inglaterra... eu... eu... Mas a vida...

— Ficará em segredo.

— Jure! — exclamou o moribundo, levantando-se com exultante violência.

— Jure por todos os seus temores da alma, por todos os temores da sua natureza, jure que, por um ano e um dia, você não dará conhecimento de meus crimes ou morte a nenhum ser vivo, de qualquer maneira, aconteça o que acontecer, ou o que quer que você possa ver — seus olhos pareciam explodir de suas órbitas.

— Eu juro! — disse Aubrey. Então, ele afundou-se rindo em seu travesseiro e não respirou mais.

Aubrey retirou-se para descansar, mas não dormiu. Muitas circunstâncias envolvendo seu convívio com aquele homem surgiram em sua mente, e ele não sabia por quê. Quando se lembrou de seu juramento, um calafrio o dominou, como se pressentisse algo horrível esperando por ele. Levantando-se de madrugada, ao entrar no casebre em que deixara o cadáver, um assaltante o encontrou e informou-o de que já não estava mais lá, tendo sido conduzido por ele e pelos seus camaradas, depois que se retirara, para o pináculo de um monte vizinho, de acordo com a promessa que haviam feito ao lorde, de que fosse exposto ao primeiro raio da Lua que surgisse após sua morte. Aubrey ficou surpreso e, levando vários homens, decidiu enterrá-lo no local onde estava. Mas, quando subiu ao cume, não encontrou vestígios do cadáver ou das roupas, embora os ladrões jurassem que o tinham deixado lá, mostrando a rocha sobre a qual haviam colocado o corpo. Por um tempo sua mente ficou confusa em conjecturas, mas ele finalmente voltou, convencido de que haviam enterrado o cadáver para ficarem com as roupas.

Cansado de um lugar em que havia enfrentado tão terríveis infortúnios e no qual todos aparentemente conspiravam para aumentar aquela melancolia supersticiosa que se apoderara de sua mente, ele resolveu partir, e logo chegou a Esmirna. Enquanto esperava que um navio o levasse a Otranto ou a Nápoles, ocupou-se em organizar os pertences de lord Ruthven que trazia consigo. Entre outras coisas, havia um estojo contendo várias armas, mais ou menos adaptadas para garantir a morte da vítima, além de vários punhais e iatagãs[5]. Enquanto os revirava e examinava suas formas curiosas, qual não foi sua surpresa ao encontrar uma bainha aparentemente ornamentada, no mesmo estilo da adaga descoberta na choupana fatal. Ele estremeceu. Apressando-se para obter mais provas, pegou a arma que guardara consigo e qual não foi seu horror quando descobriu que ela se ajustava, apesar de sua forma peculiar, à bainha que tinha na mão. Seus olhos pareciam não precisar de mais confirmação — estavam presos à adaga. Ainda assim ele desejava não acreditar. Mas a forma particular, as mesmas tonalidades variadas no cabo e na bainha, iguais em esplendor, não deixavam margem para dúvidas. Também havia gotas de sangue tanto na bainha como na adaga.

Ele deixou Esmirna e, a caminho de casa, ao chegar em Roma, suas primeiras perguntas foram sobre a dama que ele tentara livrar das artes sedutoras de lord Ruthven. Seus pais estavam arrasados, sua fortuna arruinada, e não havia notícias dela desde a partida do lorde. A mente de Aubrey ficou alquebrada sob tantos horrores repetidos. Ele temia que aquela dama tivesse sido vítima do assassino de Ianthe. Tornou-se taciturno e silencioso. Sua única ocupação consistia em incitar a velocidade das diligências postais, como se fosse salvar a vida de alguém que ele amava.

Chegou a Calais. Uma brisa, que parecia obediente à sua vontade, logo o levou às costas inglesas, e correndo para a mansão de seus pais, ali, por um momento, pareceu esquecer, nos abraços e carinhos de sua irmã, todas as lembranças do passado. Se ela antes, por suas carícias infantis, havia conquistado sua afeição, agora que a maioridade começava a florescer, sua companhia era ainda mais cativante.

A senhorita Aubrey não tinha aquela graça encantadora que atraía os olhares e os aplausos dos grupos que frequentavam as salas de visitas. Não havia nada daquele brilho que só existe na atmosfera aquecida de um salão lotado. Seus olhos azuis nunca se iluminavam com a levian-

---
[5] Espadas curtas cujas lâminas apresentam uma curva, potencializando seu corte e perfuração. (N. do R.)

dade da mente. Havia um encanto melancólico nisso que não parecia surgir do infortúnio, mas de algum sentimento interior, que indicava uma alma consciente de um reino mais elevado. Seus passos não eram aquele andar leve, que se perde onde quer que uma borboleta ou uma cor reluza; eram calmos e pensativos. Quando sozinha, seu rosto nunca se iluminava com um sorriso de alegria, mas quando seu irmão transpirava afeição por ela e, em sua presença, esquecia aquele pesar que ela sabia ter destruído sua paz de espírito, quem teria trocado seu sorriso pelo das voluptuosas? Parecia que aqueles olhos, aquele rosto, estavam brincando à luz de seu próprio Sol. Ela ainda tinha apenas dezoito anos e não havia sido apresentada ao mundo, tendo seus tutores considerado mais adequado que sua apresentação fosse adiada até o retorno de seu irmão do continente, quando ele poderia ser seu protetor. Estava agora, portanto, resolvido que a próxima estação social, que se aproximava rapidamente, deveria ser a época de sua entrada na "movimentada cena da sociedade". Aubrey preferia ter permanecido na mansão de seus pais, nutrindo-se da melancolia que o dominava. Ele não conseguia sentir interesse pelas frivolidades de estranhos elegantes, quando sua mente estava tão dilacerada pelos eventos que havia testemunhado. Contudo, decidiu sacrificar seu conforto para proteger sua irmã. Eles logo chegaram à cidade e se prepararam para o dia seguinte, quando haveria uma reunião de salão.

A multidão era excessiva — uma reunião de salão não acontecia há muito tempo, e todos os que estavam ansiosos para se deleitar com os sorrisos da realeza apressaram-se para ir até lá. Aubrey também foi com sua irmã. Enquanto estava parado em um canto sozinho, indiferente a tudo ao seu redor, envolvido na lembrança de que a primeira vez que vira lord Ruthven fora naquele mesmo lugar, sentiu-se repentinamente agarrado pelo braço, e uma voz que ele também reconheceu com clareza, soou em seu ouvido:

— Lembre-se do seu juramento.

Ele mal teve coragem de se virar, com medo de ver um espectro que o destruiria, quando percebeu, a pouca distância, a mesma figura que havia atraído sua atenção naquele local quando estreou na sociedade. Ele olhou até que seus membros quase se recusaram a suportar seu peso. Foi obrigado a pegar o braço de um amigo para se apoiar e, forçando passagem pela multidão, jogou-se em sua carruagem e foi levado para casa. Andou pela sala com passos apressados, com as mãos na cabeça, como se temesse que seus pensamentos pudessem explodir para fora de seu cérebro. lord Ruthven estivera novamente diante dele, e as circunstâncias começaram em terrível ordem: primeiro a adaga, e agora a cobrança de seu juramento. Precisava recobrar seu ânimo, e não podia acreditar que fosse possível os mortos ressurgirem novamente! Pensou que sua imaginação havia evocado a imagem que repousava em sua mente. Era impossível que pudesse ser real. Decidiu, portanto, voltar a frequentar a sociedade. Contudo, embora tentasse perguntar sobre lord Ruthven, o nome pairava em seus lábios e ele não conseguia obter informações.

Algumas noites depois, foi com a irmã à reunião de um parente próximo. Deixando-a sob a proteção de uma matrona, retirou-se para um aposento mais ao canto, e ali se entregou a seus próprios pensamentos devoradores. Percebendo, finalmente, que muitos estavam saindo dali, ele se levantou e, entrando em outra sala, encontrou sua irmã cercada por vários dos presentes, aparentemente conversando seriamente. Ele tentou se aproximar dela, quando alguém, a quem ele pediu licença, virou-se e lhe revelou aquelas características que ele mais abominava. Ele avançou até sua irmã, agarrou-lhe o braço e, com passos apressados, empurrou-a para a rua. Na porta, viu-se impedido pela multidão de servos que esperavam por seus senhores, e enquanto passava por eles, novamente ouviu aquela voz sussurrar perto dele:

— Lembre-se do seu juramento!

Ele não ousou se virar e, apressando sua irmã, logo chegou em casa.

Aubrey tinha quase enlouquecido. Se antes sua mente estava tomada por um só assunto, agora que a certeza de que o monstro estava vivo novamente pressionava seus pensamentos, tornava-se ainda mais absorta. As preocupações de sua irmã eram ignoradas, e foi em vão pedir-lhe que explicasse o que havia causado sua conduta abrupta. Ele apenas pronunciou algumas palavras, e essas a aterrorizaram. Quanto mais ele pensava, mais ficava confuso. Seu juramento o assustava. Deveria permitir que esse monstro vagasse, trazendo a ruína debaixo de seu nariz, em meio a tudo que ele amava e não impedir sua ação? Sua própria irmã poderia ter sido tocada por ele. Mas mesmo que quebrasse seu juramento e revelasse suas suspeitas, quem acreditaria nele? Pensou em usar das próprias mãos para libertar o mundo de tal miserável, mas a morte, ele lembrou, já havia sido ridicularizada pelo monstro.

Por dias ele permaneceu nesse estado. Trancado em seu quarto, não via ninguém e comia apenas quando sua irmã chegava, que, com os olhos marejados de lágrimas, implorava a ele, por ela, que se alimentasse. Por fim, não suportando mais a quietude e a solidão, saiu de casa, perambulando de rua em rua, ansioso por fazer sumir aquela imagem que o assombrava. Sua vestimenta tornou-se negligenciada, e ele vagava, frequentemente exposto ao sol do meio-dia tanto quanto à umidade da meia-noite. Não era mais reconhecido. A princípio, voltava à noite para casa, mas então passou a se deitar para descansar onde quer que o cansaço o alcançasse. Sua irmã, preocupada com sua segurança, contratou pessoas para segui-lo. Entretanto, eram logo afastadas, pois ele fugia de um perseguidor mais rápido do que qualquer outro. Sua conduta, no entanto, mudou repentinamente. Impressionado com a ideia de ter abandonado todos os seus amigos havendo um demônio entre eles, de cuja presença estavam inconscientes, decidiu frequentar novamente a sociedade e observá-lo de perto, ansioso para prevenir, apesar de seu juramento, todos de quem lord Ruthven se aproximasse. Mas quando ele entrava em uma sala, seu olhar abatido e desconfiado era tão marcante, e estremecia internamente de forma tão visível, que sua irmã foi finalmente obrigada a implorar-lhe que se abstivesse de procurar, por causa dela, uma companhia que o afetava tão fortemente. Quando, no entanto, a intervenção se mostrou inútil, os tutores acharam apropriado interporem-se e, temendo que sua mente estivesse ficando alienada, julgaram necessário retomar novamente a responsabilidade que antes havia sido imposta a eles pelos pais de Aubrey.

Desejosos de salvá-lo dos danos e sofrimentos que diariamente encontrava em suas andanças, e impedi-lo de expor ao olhar público as marcas daquilo que consideravam loucura, eles contrataram um médico para residir na casa e cuidar constantemente dele. Ele mal pareceu notar, pois sua mente já estava completamente absorta pelo terrível sujeito. Sua incoerência tornou-se finalmente tão grande que foi confinado em seu quarto. Lá, costumava ficar deitado por dias, incapaz de ser acordado. Ele havia ficado cadavérico, e seus olhos haviam adquirido um brilho vítreo. O único sinal de afeto e reconhecimento que restava exibia-se com a entrada de sua irmã. Nessas ocasiões, ele às vezes se sobressaltava e, agarrando-lhe as mãos, com olhares que a afligiam severamente, implorava que não se aproximasse do monstro.

— Oh, não toque nele; se o seu amor por mim significa alguma coisa, não se aproxime dele!

Quando, porém, ela perguntava a quem ele se referia, sua única resposta era:

— É verdade! É verdade!

E novamente, ele mergulhava em um estado de onde nem mesmo ela poderia tirá-lo. Isso durou muitos meses. Gradualmente, porém, com o passar do ano, seus acessos de loucura tornaram-se menos frequentes, e sua mente se livrou de uma parte da melancolia, enquanto seus tutores observavam que, várias vezes ao dia, ele contava nos dedos um número definido e então sorria.

O tempo havia passado quando, no último dia do ano, um de seus tutores, entrando em seu quarto, começou a conversar com seu médico sobre a melancólica circunstância de Aubrey estar em uma situação tão terrível quando sua irmã, no dia seguinte, iria se casar. Instantaneamente, a atenção de Aubrey foi atraída. Ele perguntou ansiosamente com quem ela contrairia matrimônio. Felizes com esse sinal de retorno do intelecto, do qual temiam que ele tivesse sido privado, mencionaram o nome do conde de Marsden. Pensando tratar-se de um jovem conde com quem ele se encontrara na sociedade, Aubrey pareceu satisfeito e os surpreendeu, ainda mais ao expressar sua intenção de estar presente nas núpcias e de desejar ver sua irmã. Eles não responderam, mas em poucos minutos a senhorita estava com ele.

Aparentemente, ele era novamente capaz de ser afetado pela influência de seu lindo sorriso, pois a apertou contra o peito e beijou sua face, molhada de lágrimas, fluindo com o pensamento de que seu irmão estava mais uma vez vivo para os sentimentos de afeição. Ele começou a falar com todo o seu calor habitual, e a parabenizá-la por seu casamento com uma pessoa tão distinta por seu título e todas as suas realizações, quando de repente notou um medalhão em seu peito. Abrindo-o, qual não foi sua surpresa ao contemplar as feições do monstro que por tanto tempo influenciou sua vida. Ele agarrou o retrato em um espasmo de raiva e o pisoteou. Quando ela perguntou-lhe por que destruía assim a imagem de seu futuro marido, ele olhou como se não a entendesse. Então, agarrando-lhe as mãos e olhando-a com uma expressão frenética no semblante, ordenou-lhe que jurasse nunca se casar com aquele monstro, pois ele... Mas ele não podia continuar. Parecia que aquela voz novamente o convidava a se lembrar de seu juramento. Ele se virou de repente, pensando que lord Ruthven estava perto dele, mas não viu ninguém. Nesse ínterim, os guardiões e o médico, que ouviram tudo e pensaram ser apenas um retorno de seus distúrbios, entraram e, forçando-o a se afastar de Srta. Aubrey, pediram que ela o deixasse. Ele caiu de joelhos diante deles e implorou que esperassem por mais um dia. Eles, atribuindo isso à insanidade que imaginavam ter tomado posse de sua mente, tentaram acalmá-lo e se retiraram.

Lord Ruthven aparecera na manhã seguinte à reunião social e fora recusado, assim como todos os outros. Quando ouviu falar da saúde precária de Aubrey, ele prontamente entendeu ser a causa disso, mas quando soube que era considerado insano, sua exultação e prazer dificilmente poderiam ser escondidos daqueles de quem obtivera essa informação. Ele correu para a casa de seu ex-companheiro e, presente constantemente, fingindo grande afeição pelo irmão e interesse por seu estado de saúde, gradualmente conquistou a atenção de Srta. Aubrey. Quem poderia resistir ao seu poder? Sua língua tinha perigos e aventuras para relatar. Falava de si mesmo como um indivíduo que não tinha simpatia por nenhum ser na Terra, exceto por ela a quem se dirigia. Falava de forma que a levava a acreditar que, porque a tinha conhecido, sua existência parecia finalmente digna, nem que fosse apenas para que pudesse ouvir sua suave voz. Em suma, ele sabia tão bem como usar a arte da serpente, ou tal era a vontade do destino, que conquistou sua afeição. Com seu título de nobreza, ele adquiriu uma importante embaixada, que serviu de desculpa para apressar o casamento (apesar do estado de loucura de seu irmão), que deveria ocorrer um dia antes de sua partida para o continente.

Aubrey, quando foi deixado pelo médico e seus tutores, tentou subornar os criados, mas em vão. Ele pediu caneta e papel, e foram dados a ele. Escreveu, então, uma carta para a irmã, suplicando-lhe que valorizasse sua felicidade, em nome de sua própria honra e da honra daqueles que agora jaziam no túmulo, e que uma vez a tiveram em seu colo, nela depositando toda a esperança do nome da família; pedia que atrasasse apenas algumas horas aquele casamento, sobre o qual pairavam as mais pesadas maldições. Os servos prometeram que a entregariam, mas dando-a ao médico, este achou melhor não atormentar mais a mente de Srta. Aubrey com o que ele considerava os delírios de um maníaco. A noite passou sem descanso para os ocupados moradores da casa, e Aubrey ouviu, com um horror que pode ser mais facilmente imaginado do que descrito, os ruídos da intensa preparação. A manhã chegou, e o som das carruagens alcançaram seus ouvidos. Aubrey estava em suprema exaltação. A curiosidade dos criados finalmente superou sua vigilância, e eles gradualmente se afastaram, deixando-o sob a custódia de uma senhora já idosa e indefesa. Ele aproveitou a oportunidade; com um salto saiu da sala, e em um instante se viu no salão onde todos estavam reunidos lord Ruthven foi o primeiro a percebê-lo. Ele se aproximou imediatamente e, pegando seu braço à força, colocou-o às pressas para fora da sala, mudo de raiva. Quando estava na escada, lord Ruthven sussurrou em seu ouvido:

— Lembre-se de seu juramento e saiba, se sua irmã não se casar comigo hoje, ela estará desonrada. As mulheres são frágeis!

Assim dizendo, empurrou-o para seus criados, que, alarmados pela velha, vieram procurá-lo. Aubrey não conseguia mais se segurar. Sua raiva, não encontrando vazão, fez romper um vaso sanguíneo, e ele foi levado para a cama. Isso não foi mencionado à irmã, que não estava presente quando ele entrou, pois o médico temia agitá-la. O casamento foi celebrado e os noivos deixaram Londres.

A fraqueza de Aubrey aumentou. A efusão de sangue produziu sequelas que o deixaram com a aparência de próximo da morte. Ele desejou que os tutores de sua irmã fossem chamados e, quando soou a meia-noite, relatou serenamente o que o leitor acabou de ler, e morreu imediatamente depois.

Os tutores correram para proteger a senhorita Aubrey, mas quando chegaram era tarde demais. lord Ruthven havia desaparecido, e a irmã de Aubrey saciara a sede de um VAMPIRO!

CARMILLA

de
Sheridan Le Fanu

PRÓLOGO

Em um papel anexado à narrativa que segue, Doutor Hasselius escreveu uma nota um tanto elaborada, acompanhada de uma referência à sua pesquisa sobre o estranho tema, o qual MS. ilumina.

O misterioso tema ele trata, na referente pesquisa, com seu conhecimento habitual e perspicácia, além de fazê-lo de modo notavelmente franco e breve. O texto formará um dos volumes da série de pesquisas desse extraordinário homem.

Enquanto publico este caso, neste volume, simplesmente para o interesse dos "leigos", devo prevenir em nada a inteligente dama que o relata; e depois de certa consideração, determinei, portanto, que irei abster-me de apresentar qualquer epítome do raciocínio do doutor, ou resumo de sua declaração sobre um assunto que, segundo o próprio, "envolve, provavelmente; um dos mais profundos mistérios de nossa dual existência e seus intermediários".

Fiquei ansioso ao descobrir esta nota, pois iria retomar a elogiada correspondência iniciada por Doutor Hasselius, muitos anos antes, com uma pessoa tão inteligente e cuidadosa como sua informante parece ter sido. Para o meu desagrado, no entanto, descobri que ela morreu nesse intervalo.

Ela, provavelmente, pouco poderia ter acrescentado à narrativa que se comunica nas próximas páginas, já que, na medida em que posso avaliar, o faz com tanta minuciosidade.

1. UM SUSTO NA INFÂNCIA

Na Estíria, nós, mesmo que de maneira alguma pessoas magníficas, habitamos um castelo, ou *schloss*[1]. Uma pequena renda, nesta parte do mundo, vai muito bem. Oito ou nove centenas por ano fazem maravilhas. Raramente essa renda teria se equiparado entre ricos em nossa terra de origem. Meu pai é inglês, e eu carrego um nome inglês, mesmo que jamais tenha visto a Inglaterra. Mas aqui, neste solitário e abandonado lugar, onde tudo é tão maravilhosamente barato, eu realmente não vejo como uma riqueza maior poderia nos prover maior conforto, ou talvez mais luxo.

Meu pai era do exército austríaco, e aposentou-se com uma pensão e seu patrimônio, comprando esta residência feudal e a pequena terra onde ele está alocado por uma barganha.

Nada poderia ser mais pitoresco ou solitário. O castelo situa-se sobre uma pequena elevação em uma floresta. A estrada, muito velha e estreita, passa na frente de sua ponte levadiça, nunca erguida enquanto aqui estive, e em seu fosso, repleto e navegado por muitos cisnes, flutua pela superfície uma camada branca de nenúfares.

Acima de tudo isso, o *schloss* exibe sua fachada cheia de janelas, suas torres e sua capela gótica. A floresta se abre em uma clareira irregular e pitoresca na frente de sua entrada, e à direita uma ponte gótica íngreme conduz a estrada sobre um riacho, que serpenteia na sombra profunda pela floresta. Eu disse que este é um lugar bem solitário. Julgue se eu digo a verdade. Olhando pela entrada do saguão em direção à estrada, a floresta na qual nosso castelo se encontra ocupa cerca de vinte e cinco quilômetros à direita e vinte à esquerda. A vila habitada mais próxima fica a aproximadamente onze quilômetros à esquerda. O *schloss* habitado mais

---
1 Pequeno castelo. (N. do T.)

próximo e de qualquer relevância histórica pertence ao velho General Spielsdorf, a mais de trinta quilômetros, seguindo à direita.

Eu disse "a vila *habitada* mais próxima" porque há, a apenas cinco quilômetros a Oeste, na direção do *schloss* de Spielsdorf, uma vila arruinada, com sua pequenina igreja agora sem telhado, em cujas alas laterais estão os túmulos em decomposição da orgulhosa família Karnstein, agora extinta. Estes já foram donos do castelo igualmente desolado que, no meio da floresta, observa as ruínas silenciosas da vila.

Quanto à causa da deserção desse belo e melancólico local, corre uma lenda que devo relatar uma outra hora. Preciso dizer agora o quão pequenino é o grupo de residentes do nosso castelo. Não incluo funcionários, ou outros dependentes que ocupam os quartos anexados ao *schloss*. Ouça, e pasme! Meu pai, o homem mais bondoso do mundo, já de certa idade hoje, e eu, à data da história, apenas com dezenove anos; oito anos se passaram desde então.

Eu e meu pai constituíamos a família do *schloss*. Minha mãe, uma moça estiriana, morreu em minha primeira infância, mas eu tive uma governanta gentil, que esteve comigo, posso quase dizer, desde bem criança. Não consigo lembrar de uma época em que sua face rechonchuda e bondosa não fosse familiar à minha memória.

Essa era a Madame Perrodon, uma nativa de Berne; seu cuidado e serenidade agora em parte preenchiam a falta da minha mãe, de quem nem mesmo me lembro, tão cedo que a perdi. Ela era a terceira em nosso pequeno grupo para o jantar. Havia uma quarta pessoa, a Mademoiselle De Lafontaine; uma dama a quem você se referiria, creio eu, como uma "instrutora de etiqueta". Ela falava francês e alemão; Madame Perrodon falava francês e um inglês ruim, ao qual meu pai e eu acrescentávamos com o objetivo de praticar diariamente, parte para prevenir que virasse uma língua perdida entre nós, e parte por motivos patrióticos. A consequência era uma Torre de Babel, da qual estranhos costumavam rir, algo que não farei a tentativa de reproduzir nessa narrativa. Havia também duas ou três outras amigas, moças quase da minha idade, que eram visitantes ocasionais, por longos ou curtos períodos; e algumas dessas visitas eu às vezes retribuía.

Carmilla

Esses eram nossos contatos sociais regulares; mas é claro que havia a chance de receber visitas dos "vizinhos" que moravam de vinte a trinta quilômetros de distância. Minha vida era, contudo, bem solitária, posso lhe garantir.

Minhas governantas, como pode imaginar, exerciam pouco controle sobre mim — já que eu era uma garota bastante mimada, cujo pai permitia que praticamente todos os caprichos fossem atendidos.

O primeiro incidente em minha vida que causou uma impressão terrível na mente, e que, de fato, nunca foi apagado, é também uma das primeiras lembranças da infância que tenho. Algumas pessoas acharão tal coisa tão insignificante que não deveria nem ser registrada aqui. Você entenderá, no entanto, aos poucos, os motivos de sua menção. O berçário, como era chamado, embora eu o tivesse só para mim, era uma grande sala no andar superior do castelo, com um telhado de carvalho íngreme. Eu devia ter pouco mais de seis anos quando, uma noite, acordei e, olhando em volta da minha cama, não vi a babá. Nem minha ama estava lá; eu me encontrava sozinha. Não estava com medo, pois eu era uma daquelas crianças felizes que são cuidadosamente mantidas na ignorância das histórias de fantasmas, dos contos de fadas e de todos os relatos que nos fazem cobrir nossas cabeças quando a porta se abre repentinamente, ou quando o piscar de uma vela moribunda faz as sombras dançarem na parede, vindo em nossa direção. Fiquei aborrecida e me senti insultada por me ver, como concebi, negligenciada; então comecei a choramingar, preparando-me para começar um berreiro; foi quando, para minha surpresa, vi um rosto solene, mas muito bonito, olhando para mim do lado da cama. Era de uma jovem que estava ajoelhada, com as mãos por baixo da colcha. Olhei para ela com uma espécie de surpresa agradável, e fiquei quieta. Ela me acariciou com as mãos, deitou-se ao meu lado na cama e me abraçou, sorrindo; senti-me imediatamente aliviada e adormeci de forma deliciosa novamente. Fui acordada por uma sensação de duas agulhas penetrando profundamente meu peito ao mesmo tempo, e gritei. A jovem recuou, com os olhos fixos em mim, e então deslizou-se para o chão e, como pensei, escondeu-se debaixo da cama.

Eu estava agora assustada pela primeira vez, e berrei com todas as minhas forças. A babá, a ama, a governanta: todas entraram correndo e, ouvindo minha história, fizeram pouco caso, acalmando-me o máximo que podiam. Mas, criança como eu era, pude perceber que suas faces estavam pálidas, com uma expressão incomum de nervosismo, e as vi olhar debaixo da cama e ao redor do quarto, espiar debaixo das mesas e abrir armários; a governanta sussurrou para a ama: "Coloque sua mão neste buraco na cama; alguém se deitou aqui, *tão certo* quanto você não deitou; o lugar ainda está quente."

Lembro-me da babá me acariciando e as três examinando meu peito, onde eu disse a elas que senti a picada, e declarando não haver nenhum sinal visível de que tal coisa tivesse acontecido comigo.

A governanta e as outras duas criadas que eram encarregadas do berçário ficaram sentadas lá a noite toda; e a partir de então, uma criada sempre ficava sentada no quarto, até cerca dos meus quatorze anos.

Durante um bom tempo, permaneci muito assustada. Chamaram então um médico, pálido e idoso. Lembro-me muito bem de seu rosto longo e taciturno, levemente marcado pela varíola, e de sua peruca castanha. Por um longo período, a cada dois dias, ele vinha e me dava remédios, os quais eu obviamente detestava.

Na manhã seguinte à aparição, eu estava em estado de terror e não suportava ser deixada sozinha, nem por um momento sequer, mesmo que fosse dia.

Lembro-me de meu pai chegar e ficar ao lado da cama, conversando alegremente, fazendo várias perguntas à ama e rindo muito com algumas das respostas; dando-me tapinhas no ombro, beijando-me e dizendo para não ter medo, pois tudo não passava de um sonho e nada poderia me machucar.

Porém, não me senti consolada, pois sabia que a visita da jovem estranha não era um sonho; eu estava aterrorizada.

Fiquei um pouco mais calma com a garantia da babá de que fora ela quem viera me olhar e se deitara ao meu lado na cama, e que eu provavelmente estava meio sonhando para não ter reconhecido seu rosto. Todavia, tal fato, embora apoiado pela ama, não me satisfez totalmente.

Lembrei-me, no decorrer daquele dia, de um venerável ancião, de batina preta, entrando em meus aposentos com a babá e a governanta, conversando um pouco com elas, e muito gentilmente comigo; seu rosto era muito doce e gentil, e ele me disse que íamos orar; juntou minhas mãos e pediu que eu murmurasse, enquanto eles oravam: "Senhor, escutai as preces que fazem por nós, pelo amor de Jesus". Acho que essas eram exatamente as mesmas palavras, pois muitas vezes as repetia para mim mesma, e minha babá durante anos me fez dizê-las em minhas orações.

Lembro-me muito bem do rosto doce e pensativo daquele velho de cabelos brancos, em sua batina preta, parado naquele quarto rude, amplo e marrom, com a mobília desajeitada provinda de uma moda de trezentos anos atrás, e as escassas luzes entrando em sua atmosfera sombria através da pequena treliça. Ele ajoelhou-se, as três mulheres com ele, e orou em voz alta, porém, trêmula e sincera por, pelo que me pareceu, um longo tempo. Eu esqueci toda a minha vida anterior a esse evento, e parte do que veio depois é obscuro também, mas as cenas que acabei de descrever se destacam vívidas como imagens isoladas de fantasmagoria[2], cercada pela escuridão.

2. UMA CONVIDADA

Contarei agora uma coisa tão estranha que será necessária toda sua fé na minha veracidade para acreditar na nessa história. Não somente é verdade, de qualquer maneira, como também fui eu uma testemunha ocular.

Era um doce anoitecer de verão, e meu pai me pediu, como às vezes fazia, para dar um pequeno passeio com ele apreciando a vista da bela floresta, que já mencionei estar posicionada na frente do *schloss*.

"Spielsdorf não poderá vir até nós como eu esperava", disse meu pai, enquanto caminhávamos.

---

2 Arte que cria ilusões ópticas, normalmente feita em uma sala escura. (N. do R.)

Ele deveria nos fazer uma visita de algumas semanas, e esperávamos sua chegada no dia seguinte. Ele estava para trazer consigo uma jovem moça. Sua sobrinha e pupila, Mademoiselle Rheinfeldt, quem eu nunca vi, mas ouvi falar ser uma menina encantadora, e com quem eu prometi a mim mesma viver muitos dias felizes. Eu estava mais desapontada do que uma jovem dama morando em uma cidade ou em uma vizinhança animada poderia imaginar. Essa visita e nova amizade prometida povoou meus devaneios por muitas semanas.

— E quando ele virá? — perguntei.

— Não até o outono. Não vem pelos próximos dois meses, ouso dizer — respondeu. — E eu estou muito feliz agora, querida, que você não chegou a conhecer Mademoiselle Rheinfeldt.

— Por quê? — eu perguntei, ao mesmo tempo mortificada e curiosa.

— Porque a pobre moça está morta — ele respondeu. — Eu esqueci completamente que não havia contado, mas você não estava na sala quando recebi a carta do General esta tarde.

Eu fiquei muito chocada. Spielsdorf mencionou em sua primeira carta, seis ou sete semanas antes, que ela não estava tão bem quanto ele desejava, mas não havia nada que sugerisse a mínima suspeita de perigo.

— Aqui está a carta do General — ele disse, entregando-a para mim. — Eu temo que ele esteja em grande sofrimento; a carta parece ter sido escrita de forma distraída.

Sentamo-nos num banco rústico, sob um bloco de magníficos limoeiros. O sol se punha com todo o seu esplendor melancólico atrás do horizonte silvestre, e o riacho que corre ao lado de nossa casa, e passa sob a velha e íngreme ponte que mencionei, serpenteava por entre muitos grupos de árvores nobres, quase aos nossos pés, refletindo em sua corrente o carmesim desbotado do céu. A carta do General Spielsdorf era tão extraordinária, tão veemente e, em alguns trechos, tão contraditória, que a li duas vezes — a segunda vez em voz alta para meu pai — e ainda não consegui explicá-la, a não ser por supor que a dor havia abalado a mente dele. Dizia:

Carmilla

Perdi minha querida filha, pois como tal eu a amava. Nos últimos dias da doença da querida Bertha, não pude escrever.
Antes disso, eu não tinha ideia do perigo que corria. Eu a perdi e agora entendi tudo, tarde demais. Ela morreu na paz da inocência e na gloriosa esperança de um futuro abençoado. O demônio que traiu nossa hospitalidade fez isso tudo. Julgava receber em casa a pureza, a alegria, uma companheira encantadora para a minha perdida Bertha. Céus! Que tolo eu fui!
Agradeço a Deus que minha filha morreu sem suspeitar da causa de seus sofrimentos. Ela se foi sem sequer conjeturar a natureza de sua doença e a paixão maldita do agente de toda essa miséria. Dedico meus dias restantes a rastrear e extinguir um monstro. Foi-me dito que posso esperar cumprir meu propósito justo e misericordioso. No momento, há pouca luz para me guiar. Amaldiçoo minha presunçosa incredulidade, meu desprezível ar de superioridade, minha cegueira, minha obstinação — tudo — tarde demais. Não posso escrever ou falar com calma agora. Estou distraído. Assim que estiver um pouco recuperado, pretendo dedicar-me por um tempo à investigação, o que possivelmente pode me levar até Viena. Em algum momento no outono, daqui a dois meses, ou antes, se eu viver, irei te ver — isto é, se você me permitir; então, direi a vocês tudo o que mal ouso colocar no papel agora. Até a próxima. Reze por mim, querido amigo.

Nestes termos terminou a estranha carta. Embora eu nunca tivesse visto Bertha Rheinfeldt, meus olhos se encheram de lágrimas com a súbita notícia; fiquei surpresa, bem como profundamente desapontada.

O sol já havia se posto e já era crepúsculo quando devolvi a carta do General a meu pai.

Era uma noite clara e amena, e nós nos demoramos, especulando sobre os possíveis significados das frases violentas e incoerentes que eu acabara de ler. Tínhamos quase uma milha para caminhar antes de chegar à estrada que passa em frente ao castelo, e a essa altura a lua brilhava intensamente. Na ponte levadiça, encontramos Madame Perrodon e Mademoiselle De Lafontaine, que haviam saído, sem seus gorros, para desfrutar do belo luar.

Ouvimos suas vozes tagarelando em um diálogo animado enquanto nos aproximávamos. Nós nos juntamos a elas na ponte e nos viramos para admirar com elas a bela cena.

A clareira pela qual havíamos passado estava diante de nós. À nossa esquerda, a estrada estreita serpenteava sob grupos de árvores majestosas e se perdia de vista em meio à floresta densa. À direita, a mesma estrada cruza a ponte íngreme e pitoresca, perto da qual se ergue uma torre em ruínas que outrora guardava aquela passagem; e além da ponte ergue-se uma eminência abrupta, coberta de árvores, mostrando nas sombras algumas rochas cinzentas cobertas de hera.

Sobre a relva e os terrenos baixos, uma fina película de névoa se esgueirava como fumaça, marcando as distâncias com um véu transparente; e aqui e ali podíamos ver o rio brilhando fracamente ao luar.

Nenhuma cena mais suave e doce poderia ser imaginada. A notícia que acabara de ouvir tornou-a melancólica; mas nada poderia perturbar seu caráter de profunda serenidade, glória e impressão de perspectiva encantadas.

Meu pai, que gostava do pitoresco, comigo ficou, olhando em silêncio para a vastidão abaixo de nós. As duas boas governantas, paradas um pouco atrás de nós, discorreram sobre a cena e foram eloquentes sobre a lua.

Madame Perrodon era gorda, de meia-idade e romântica, e falava e suspirava poeticamente. Mademoiselle De Lafontaine — honrando seu pai, que era alemão, considerado psicológico, metafísico e meio místico — agora declarava que quando a lua brilhava com uma luz tão intensa, era bem sabido que indicava uma atividade espiritual especial. O efeito da lua cheia em tal estado de brilho era múltiplo. Agia em sonhos, agia em loucura, agia em pessoas nervosas; tinha maravilhosas influências físicas ligadas à vida. Mademoiselle relatou que seu primo, que era oficial de um navio mercante, tendo tirado uma soneca no convés em tal noite, deitado de costas, com o rosto iluminado pela luz da lua, acordou, depois de um sonho com uma mulher velha agarrando-o pela bochecha, com suas feições horrivelmente desenhadas para o lado; e seu semblante nunca recuperou totalmente o equilíbrio.

Carmilla

— A lua, esta noite — ela disse —, está cheia de influência idílica e magnética — e veja, quando você olha para trás na frente do *schloss* como todas as suas janelas piscam e cintilam com esplendor prateado, como se mãos invisíveis houvessem iluminado os quartos para recebermos fadas.

Existem estados indolentes de espírito nos quais, indispostos a falar, a conversa dos outros é agradável aos nossos ouvidos apáticos; e eu olhava, satisfeita com o tilintar da conversa das senhoras.

— Esta noite estou deprimido — disse meu pai, depois de um silêncio, e citando Shakespeare, que, para manter nosso inglês, ele costumava ler em voz alta, disse:

"*Não sei, realmente, porque estou tão triste.*

Isso me enfara; e a vós também, dissestes.

Mas como começou essa tristeza, ainda estou por saber."[3]

— Eu esqueci o resto. Mas sinto como se uma grande desgraça pairasse sobre nós. Suponho que a carta aflita do pobre General tenha algo a ver com isso.

Nesse momento, o som incomum de rodas de carruagem e muitos cascos na estrada chamou nossa atenção.

Pareciam estar se aproximando do terreno elevado que dava para a ponte, e logo emergiu daquele ponto. Dois cavaleiros cruzaram primeiro, depois veio uma carruagem puxada por quatro cavalos, e dois homens cavalgavam atrás.

Parecia ser a carruagem de uma pessoa de posição; e todos nós ficamos imediatamente absortos em assistir aquele espetáculo tão incomum. Tornou-se, em alguns momentos, muito mais interessante, pois assim que a carruagem havia passado do cume da ponte íngreme, um dos cavalos, assustado, comunicou seu pânico aos demais e, após um ou dois puxões, toda a equipe partiu em um galope selvagem, correndo entre os cavaleiros da frente, e trovejando pela estrada em nossa direção com a velocidade de um furacão.

---

3 Parte do Primeiro Ato de *O Mercador de Veneza*, uma peça de William Shakespeare, escrita no século XVI. (N. do R.)

A excitação da cena tornou-se mais dolorosa pelos gritos claros e prolongados de uma voz feminina vinda da janela da carruagem.

Todos nós avançamos em curiosidade e horror; eu um pouco em silêncio, e os demais com várias feições de terror.

Nosso suspense não durou muito. Pouco antes de chegarem à ponte levadiça do castelo, pelo caminho por onde vinham, ergue-se à beira da estrada uma magnífica limeira; do outro lado ergue-se uma antiga cruz de pedra, à vista do qual os cavalos, agora avançando a um passo espantoso, desviaram trazendo a roda sobre as raízes salientes da árvore.

Eu sabia o que estava por vir. Cobri os olhos, incapaz de enxergar, e virei a cabeça; no mesmo instante ouvi o grito de minhas amigas, que haviam avançado um pouco mais.

A curiosidade abriu meus olhos, e vi uma cena de total confusão. Dois dos cavalos estavam no chão, a carruagem caída de lado com duas rodas no ar; os homens estavam ocupados removendo escombros, e uma senhora com ar e figura de autoridade saiu e ficou de mãos dadas, levantando um lenço, de vez em quando, até os olhos.

Pela porta da carruagem agora levantavam uma jovem, que parecia estar sem vida. Meu querido velho pai já estava ao lado da senhora, com o chapéu na mão, evidentemente oferecendo sua ajuda e os recursos de seu *schloss*. A dama não parecia ouvi-lo, nem ter olhos para nada além da esbelta moça que estava sendo colocada contra a encosta da margem.

Eu me aproximei; a jovem estava aparentemente atordoada, mas certamente não estava morta. Meu pai, que se gabava por ser um pouco médico, acabara de colocar os dedos no pulso dela e assegurou à senhora, que se declarava sua mãe, que seu pulso, embora fraco e irregular, sem dúvida ainda era perceptível. A senhora juntou as mãos e olhou para cima, como que num momentâneo arrebatamento de gratidão; mas logo irrompeu novamente naquele jeito teatral que é, creio eu, natural para algumas pessoas.

Ela era, o que eu diria, uma mulher de boa aparência para sua idade, e deve ter sido bonita; ela era alta, mas não magra, vestia veludo preto, e parecia bastante pálida, mas com um semblante orgulhoso e autoritário, embora agora estranhamente agitada.

Carmilla

— Quem poderia nascer apenas para a calamidade? — eu a ouvi dizer, com as mãos entrelaçadas, quando cheguei perto. — Aqui estou eu, em uma jornada de vida ou morte, em um processo em que perder uma hora é possivelmente perder tudo. Quem sabe quanto tempo minha filha levará para ter se recuperado o suficiente a fim de retomar a viagem? Devo deixá-la: não posso, não ouso, demorar. A que distância, senhor, você pode dizer, é a aldeia mais próxima? Devo deixá-la lá; e não verei minha querida, nem mesmo ouvirei falar dela até meu retorno, daqui a três meses.

Puxei meu pai pelo casaco e sussurrei com seriedade em seu ouvido:
— Oh! Papai, por favor, peça a ela para deixar que fique conosco. Seria tão agradável. Vá, por favor, diga-lhe!

— Se madame confiar sua filha aos cuidados da minha e de sua boa governanta, Madame Perrodon, e permitir que ela permaneça como nossa hóspede, sob minha responsabilidade, até seu retorno, isso conferirá uma distinção e obrigação sobre nós, e devemos tratá-la com todo o cuidado e devoção que uma confiança tão sagrada merece.

— Não posso fazer isso, senhor. Seria abusar de sua gentileza e cavalheirismo — disse a senhora, angustiada.

— Iria, ao contrário, conferir-nos uma gentileza muito grande no momento em que mais dela necessitamos. Minha filha acaba de ser decepcionada por um cruel infortúnio, em uma visita da qual há muito esperava trazer felicidades. Se você confiar esta jovem aos nossos cuidados, será seu melhor consolo. A aldeia mais próxima em sua rota é distante e não oferece nenhuma pousada onde você possa pensar em colocar sua filha; não pode também permitir que ela continue sua jornada por uma distância considerável sem correr perigo. Se, como você diz, não pode suspender sua viagem, deve se separar dela esta noite, e em nenhum lugar poderia fazê-lo com garantias mais honestas de cuidado e ternura do que aqui.

Havia algo no ar e na aparência dessa dama tão distinta e até imponente, em suas maneiras tão cativantes, que ainda não estivesse acompanhada da dignidade de sua comitiva, com convicção aparentava ser uma pessoa importante.

A essa altura, a carruagem foi recolocada em sua posição vertical e os cavalos, bastante acalmados, novamente postos nos trilhos.

A dama lançou à filha um olhar que julguei não ser tão afetuoso quanto se poderia imaginar desde o início da cena; então ela acenou levemente para meu pai e recuou dois ou três passos; falou com ele em um semblante fixo e severo, nada parecido com o que havia falado até então.

Fiquei maravilhada por meu pai não parecer notar a mudança, e também indescritivelmente curiosa para saber o que ela poderia estar falando, quase em seu ouvido, com tanta seriedade e rapidez.

Dois ou três minutos, no máximo, acho que ela permaneceu assim, ocupada; então virou-se e alguns passos a levaram até onde sua filha estava deitada, amparada por Madame Perrodon. Ela se ajoelhou ao lado dela por um momento e sussurrou, como Madame supôs, uma pequena bênção em seu ouvido; então, beijando-a apressadamente, ela entrou em sua carruagem; a porta foi fechada, os lacaios em librés imponentes pularam atrás, os batedores esporearam, os postilhões estalaram seus chicotes, os cavalos mergulharam e de repente começaram um trote furioso que logo ameaçou novamente tornar-se um galope, girando a carruagem, seguida no mesmo passo rápido pelos dois cavaleiros na retaguarda.

3. COMPARANDO IMPRESSÕES

Seguimos o cortejo com nossos olhos até que este sumiu rapidamente para fora de vista dentro da floresta enevoada; e o próprio som de cascos e rodas acabou no silêncio do ar noturno.

Nada restou para nos garantir que a aventura não fora uma ilusão momentânea além da jovem moça, que somente naquele momento abriu seus olhos. Não consegui ver de fato, uma vez que seu rosto estava virado para o outro lado, mas ela ergueu sua cabeça, evidentemente olhando ao seu redor, e ouvi uma voz muito doce perguntar reclamante: "Onde está a mamãe?".

Nossa boa Madame Perrodon respondeu carinhosamente, e adicionou algumas garantias confortáveis.

Carmilla

Então a escutei perguntar:

— Onde estou? O que é este lugar? — E logo depois ela disse: — Não vejo a carruagem; e Matska, onde está?

Madame respondeu às perguntas na medida em que as entendeu; e gradualmente a jovem moça lembrou como as desventuras aconteceram, ficando feliz que ninguém dentro da carruagem, ou no auxílio dela, tinha se machucado; e ao descobrir que sua mamãe a deixou aqui, até seu retorno, em torno de três meses, ela chorou.

Eu ia adicionar minhas consolações às de Madame Perrodon quando Mademoiselle De Lafontaine colocou sua mão em meu braço, dizendo:

— Não aborde, um de cada vez é o suficiente para ela no momento; um pouco de agitação possivelmente a dominaria agora.

"Assim que ela estiver deitada confortavelmente na cama", pensei, "correrei até seu quarto para vê-la."

Meu pai, nesse meio-tempo, enviou um empregado a cavalo atrás do médico, que morava aproximadamente a dez quilômetros de distância, e um quarto estava sendo preparado para a recepção da jovem moça.

A estranha agora se levantou, e apoiando-se no braço de Madame, caminhou devagar pela ponte levadiça em direção ao portão do castelo.

Na entrada, criados esperavam para recebê-la, e foi conduzida imediatamente para seu quarto. O cômodo em que geralmente nos sentávamos como nossa sala de visitas era longo, com quatro janelas que davam para o fosso e a ponte levadiça; para a cena da floresta que acabei de descrever.

É decorado em carvalho antigo esculpido, com grandes armários também esculpidos e cadeiras almofadadas com veludo carmesim de Utrecht. As paredes eram cobertas com tapeçaria e adornadas por grandes molduras de ouro, as figuras, em tamanho real, trajes antigos e muito curiosos, representavam temas como a caça, falcoaria e festividades. Era um ambiente solene, porém extremamente confortável; e ali tomávamos nosso chá, pois com suas inclinações patrióticas habituais, meu pai insistia que a bebida nacional fosse servida regularmente junto ao nosso café e chocolate.

Sentamo-nos lá naquela noite e, com as velas acesas, e conversamos sobre a aventura que ocorrera.

Madame Perrodon e Mademoiselle De Lafontaine eram ambas do nosso grupo. A jovem desconhecida mal havia se deitado em sua cama quando caíra em um sono profundo; e aquelas senhoras a deixaram aos cuidados de uma criada.

— O que você acha da nossa convidada? — perguntei, assim que Madame entrou. — Conte-me tudo.

— Gosto muito dela — respondeu Madame. — Ela é, acho, a criatura mais bonita que já vi; mais ou menos da sua idade, e tão gentil e agradável.

— Ela é absolutamente linda — acrescentou Mademoiselle, que havia espiado por um momento o quarto da estranha.

— E com uma voz tão doce! — acrescentou Madame Perrodon.

— Vocês notaram uma mulher na carruagem, depois que foi montada novamente, a qual não saiu, mas apenas olhou pela janela? — perguntou Mademoiselle.

— Não, nós não a vimos.

Então ela descreveu uma mulher negra horrenda, com uma espécie de turbante colorido na cabeça, e que olhava o tempo todo da janela da carruagem, balançando a cabeça e sorrindo zombeteiramente para as damas, com olhos brilhantes e grandes, e seus dentes cerrados como se estivesse em fúria.

— Você notou como os servos eram um bando de homens mal-encarados? — perguntou Madame.

— Sim — disse meu pai, que acabara de entrar. — Sujeitos feios e de aparência desgrenhada como nunca vi em minha vida. Espero que não roubem a pobre senhora na floresta. Eles são ladinos inteligentes, no entanto; num instante, resolveram toda a situação.

— Eu ouso dizer que eles estão desgastados das viagens muito longas — disse Madame. — Além de parecerem perversos, seus rostos eram estranhamente magros, soturnos e mal-humorados. Sou muito curiosa, reconheço; mas ouso dizer que a jovem lhe contará tudo amanhã, se estiver suficientemente recuperada.

Carmilla

— Eu não acho que ela vai — disse meu pai, com um sorriso misterioso e um pequeno aceno de cabeça, como se soubesse mais sobre isso do que gostaria de nos contar.

Isso nos deixou ainda mais curiosas sobre o que havia acontecido entre ele e a dama de veludo preto, na breve, mas sincera entrevista que imediatamente precedeu sua partida.

Mal estávamos sozinhos, quando implorei a ele que me contasse. Ele não precisou de muita pressão.

— Não há nenhuma razão particular para não contar a você. Ela expressou relutância em nos incomodar com os cuidados de sua filha, dizendo que ela estava com a saúde delicada e os nervos abalados, mas não sujeita a qualquer tipo de convulsão — ela o admitiu voluntariamente — nem a qualquer tipo de delírio; sendo, de fato, perfeitamente sã.

— Que estranho dizer tudo isso! — interpolei. — Era tão desnecessário.

— Em todo caso, foi dito — ele riu. — E como você deseja saber tudo o que se passou, o que foi realmente muito pouco, eu lhe digo. Ela então disse: "Estou fazendo uma longa jornada de vital importância", ela enfatizou a palavra, "rápida e secreta". Voltarei para buscar minha filha em três meses; enquanto isso, ela ficará em silêncio sobre quem somos, de onde viemos e para onde estamos viajando." Isso é tudo o que disse. Ela falava um francês muito puro. Quando disse a palavra "segredo", parou por alguns segundos, fitando-me severamente, seus olhos fixos nos meus. Imagino que ela dê muita importância a isso. Você viu a rapidez com que ela se foi. Espero não ter cometido uma grande tolice ao me encarregar da jovem.

De minha parte, fiquei encantada. Eu estava ansiosa para vê-la e falar com ela; e apenas esperando até que o médico me desse licença. Você, que mora nas cidades, não imagina como é grande o acontecimento quando somos apresentados a um novo amigo, na solidão que nos cerca.

O médico só chegou perto de uma hora da manhã; mas eu não poderia ter ido para a minha cama e dormido, assim como não poderia ter ultrapassado, a pé, a carruagem em que a senhora de veludo preto partiu.

Quando o médico desceu à sala de visitas, foi para apresentar um relatório muito favorável sobre sua paciente. Ela agora estava sentada, seu pulso bastante regular, ao que parecia, perfeitamente bem. Não sofreu ferimentos, e o pequeno choque aos seus nervos passou inofensivamente. Certamente não haveria nenhum mal em eu vê-la, se ambas desejássemos; e, com esta permissão, enviei uma mensagem, imediatamente, para saber se ela me permitiria visitá-la por alguns minutos em seu quarto.

A criada voltou rapidamente para dizer que ela não desejava mais nada além disso.

Pode ter certeza de que não demorei a me valer dessa permissão.

Nossa visitante estava em um dos quartos mais bonitos do *schloss*. Era, talvez, um pouco imponente. Havia uma tapeçaria obscura ao pé da cama, representando Cleópatra com as víboras no seio; outras cenas clássicas solenes também estavam em exibição, um pouco desbotadas, nas outras paredes. Mas havia entalhes em ouro, e cores ricas e variadas nas outras decorações da sala, para mais do que redimir a melancolia da velha tapeçaria.

Havia velas ao lado da cama. Ela estava sentada; sua bela figura esbelta envolta em um robe de seda macia, bordado com flores e forrado em um tecido grosso acolchoado, que sua mãe havia jogado sobre seus pés quando estava deitada no chão.

O que foi, então, que, quando cheguei ao lado da cama e tinha acabado de começar minha pequena saudação, me deixou muda por um momento e me fez recuar um ou dois passos diante dela? Eu vou lhe contar.

Vi aquele mesmo rosto que me visitara à noite na infância, que ficou tão fixo em minha memória e sobre o qual durante tantos anos várias vezes ruminei com horror, quando ninguém suspeitava do que eu pensava.

Era bonito, até lindo; e quando o vi pela primeira vez, tinha a mesma expressão melancólica.

Mas isso instantaneamente se transformou em um estranho e rígido sorrido de reconhecimento.

Houve silêncio de um minuto completo, e então finalmente ela falou; já que eu não podia.

Carmilla

— Que maravilha! — ela exclamou. — Doze anos atrás, eu vi seu rosto em um sonho, e isso me assombra desde então.

— É maravilhoso mesmo! — repeti, superando com esforço o horror que por algum tempo havia suspendido minhas palavras. — Doze anos atrás, em visão ou realidade, eu certamente a vi. Não poderia esquecer o seu rosto. Permaneceu diante dos meus olhos desde então.

Seu sorriso suavizou-se. O que quer que eu tenha achado estranho nele se foi, e ela e suas bochechas com covinhas agora aspiravam beleza e sabedoria.

Senti-me tranquilizada e continuei na hospitalidade, para dar-lhe as boas-vindas e dizer-lhe quanto prazer sua chegada acidental rendeu a todos e, especialmente, que felicidade foi para mim.

Peguei a mão dela enquanto falava. Eu era um pouco tímida, como são as pessoas solitárias, mas a situação me tornava eloquente e até ousada. Ela apertou minha mão, colocou a dela sobre, e seus olhos brilharam quando, olhando apressadamente para os meus, ela sorriu novamente e corou.

Respondeu minhas boas-vindas muito lindamente. Sentei-me ao lado dela, ainda pensando; e ela disse:

— Devo lhe contar minha visão sobre você; é tão estranho que você e eu tenhamos tido, uma com a outra, um sonho tão vívido; que cada uma tenha visto a outra parecendo como nos vemos agora; quando é claro que ambas éramos meras crianças. Eu era pequena, com cerca de seis anos de idade, e acordei de um sonho confuso e conturbado, vendo-me em um quarto, diferente do meu, com lambris de alguma madeira escura, armários, estrados de cama, cadeiras e bancos espalhados ao redor. As camas estavam, pensei, todas vazias, e o quarto em si sem ninguém além de mim; e eu, depois de olhar ao meu redor por algum tempo e admirar especialmente um castiçal de ferro com duas hastes, que certamente deveria reconhecer se antes o tivesse visto, rastejei para baixo de uma das camas a fim de alcançar a janela; mas quando saí de debaixo, ouvi alguém chorando; e olhando para cima, enquanto ainda estava de joelhos, eu a vi — com certeza era você — como eu a vejo agora; uma bela jovem, com cabelos dourados e grandes olhos azuis, os lábios —

seus lábios; você como está aqui. Sua aparência me conquistou; subi na cama e coloquei meus braços em volta de você, e acho que nós duas adormecemos. Fui despertada por um grito; você estava sentada gritando. Fiquei assustada e escorreguei ao chão e, pareceu-me, perdi a consciência por um momento; quando voltei a mim, estava novamente em meu quarto em casa. Seu rosto eu nunca esqueci desde então. Eu não poderia ser enganada por mera semelhança. Você é a senhorita que eu vi, então.

Agora era minha vez de relatar minha visão correspondente, o que eu fiz, com a maravilha indisfarçável de minha nova conhecida.

— Não sei quem deveria ter mais medo da outra — ela disse, novamente sorrindo. — Se você fosse menos bonita, acho que teria muito medo de você, mas sendo como é, e você e eu ambas tão jovens, sinto apenas que a conheci há doze anos e já tenho direito à sua intimidade; em todo caso, parece que fomos destinadas, desde a mais tenra infância, a sermos amigas. Eu me pergunto se você se sente tão estranhamente atraída por mim quanto eu por você. Nunca tive uma amiga. Devo encontrar uma agora? — Ela suspirou e seus lindos olhos escuros me fitaram apaixonadamente.

Agora, a verdade é que me senti inexplicavelmente influenciada pela estranha. Eu me senti, como ela disse, "atraída por ela", mas também havia certa repulsa. Nesse sentimento ambíguo, entretanto, prevalecia imensamente a atração. Ela me interessava e me conquistou; era tão linda e tão indescritivelmente envolvente.

Percebi agora um pouco de languidez e exaustão tomando conta dela, e apressei-me em desejar-lhe boa noite.

— O médico acha — acrescentei — que você deveria ter uma criada para se sentar aqui esta noite; uma das nossas está esperando, e você a achará uma criatura muito útil e silenciosa.

— Que gentileza sua, mas eu não conseguiria dormir, nunca com uma atendente no quarto. Não precisarei de nenhuma ajuda e, devo confessar minha fraqueza, sou assombrada pelo terror de ladrões. Nossa casa foi assaltada uma vez, e dois empregados assassinados, então eu sempre tranco minha porta. Tornou-se um hábito — e você parece tão gentil, sei que vai me perdoar. Vejo que há uma chave na fechadura.

Ela me segurou em seus lindos braços por um momento e sussurrou em meu ouvido: "Boa noite, querida; é muito difícil me separar de você, mas boa noite; amanhã, não tão cedo, verei você de novo."

Ela afundou no travesseiro com um suspiro, seus belos olhos me seguiram com um olhar carinhoso e melancólico, e ela murmurou novamente: "Boa noite, querida amiga."

Os jovens gostam, e até amam, por impulso. Fiquei lisonjeada com o carinho evidente, embora ainda imerecido, que ela havia demonstrado. Gostei da confiança com que me recebeu de imediato. Estava determinada a fazer de nós amigas muito próximas.

O dia seguinte chegou e nos encontramos novamente. Fiquei encantada com minha companheira; isto é, em muitos aspectos.

Sua aparência não perdia nada à luz do dia — ela era certamente a criatura mais bonita que eu já tinha visto, e a lembrança desagradável do rosto apresentado em meu sonho anterior havia perdido o efeito do primeiro reconhecimento inesperado.

Ela confessou que experimentou um choque semelhante ao me ver, e precisamente a mesma leve antipatia que se misturou à minha admiração por ela. Agora ríamos juntas sobre nossos horrores momentâneos.

---

4. SEUS HÁBITOS - UM PASSEIO

Eu disse que fiquei encantada com ela na maioria dos detalhes.

Houve alguns que não me agradaram tanto, porém.

Ela estava acima da estatura média das mulheres. Vou começar descrevendo-a.

Ela era esbelta e maravilhosamente graciosa. Exceto que seus movimentos eram lânguidos — muito lânguidos; na verdade, não havia nada em sua aparência que indicasse uma invalidez. Sua tez era rica e brilhante; suas feições eram pequenas e lindamente formadas; seus olhos grandes, escuros e brilhantes; seus cabelos eram maravilhosos, nunca vi cabelos tão magnificamente abundantes e longos quando caíam sobre os ombros. Muitas vezes coloquei minhas mãos sob seu peso e ri maravilhada. Era primorosamente fino e macio, e tinha uma cor de um rico marrom muito escuro, com reflexos dourados. Eu gostava de deixá-lo cair, com o próprio peso, como em seu quarto, quando ela se encostava na cadeira falando com sua doce voz baixa, eu costumava prendê-lo e trançá-lo, soltá-lo e brincar com ele. Céus! Se soubesse o que hoje sei!

Eu disse que havia detalhes que não me agradavam. Já lhe disse também que a confiança dela me conquistou na primeira noite em que a vi; mas descobri que ela exercia, em relação a si mesma, sua mãe, sua história, sua vida, planos e pessoas, uma reserva sempre vigilante. Ouso dizer que fui irracional, e reagi de maneira errada; deveria ter respeitado a injunção solene imposta a meu pai pela majestosa dama de veludo preto. Mas a curiosidade é uma paixão inquieta e sem escrúpulos, e nenhuma garota pode suportar, com paciência, que a sua seja frustrada por outra. Que mal poderia acontecer caso me contassem o que eu tanto desejava saber? Ela não confiava em meu bom senso ou honestidade? Por que não acreditaria em mim quando lhe garanti, tão solenemente, que não pronunciaria uma única sílaba de seus segredos a nenhum mortal?

Havia uma frieza, parecia-me, contrastada sua idade, ao recusar-se de forma sorridente, melancólica e persistente, deixando-me no escuro.

Não posso dizer que tenhamos brigado sobre tal ponto, pois ela não gostava de brigar sobre nada. É claro que foi muito injusto da minha parte pressioná-la, e até mal-educado, mas realmente não pude evitar; e mesmo assim, não teria feito diferença ter insistido ou não.

O que ela me contou, na minha estimativa inescrupulosa, não valia de nada na realidade. Tudo foi resumido em três revelações muito vagas:

Primeira, o nome dela era Carmilla.

Segunda, sua família era muito antiga e nobre.

Terceira, sua casa ficava na direção oeste.

Ela não quis me dizer o nome de sua família, ou quais eram seus brasões, ou o nome de sua propriedade, ou sequer em que país viviam.

Não suponha, porém, que eu a atormentasse incessantemente com esses assuntos. Aproveitava as oportunidades que surgiam e mais insinuava do que impunha minhas indagações. Uma ou duas vezes, de fato, eu a ataquei mais diretamente. Mas não importava quais fossem minhas táticas, o resultado era sempre um fracasso total. Morder e assopar era inútil com ela. Mas devo acrescentar que sua evasão foi conduzida de um modo melancólico e contestador tão gracioso, com tantas e até apaixonadas declarações de afeto por mim, demonstrando tanta confiança, enfeitando com tanto carinho promessas de que eu finalmente saberia de tudo, que não conseguia, de forma alguma, encontrar em meu coração espaço para ficar ofendida com ela.

Ela costumava colocar seus lindos braços em volta do meu pescoço, me puxando para junto de seu corpo e encostando seu rosto no meu, murmurando com os lábios perto do meu ouvido: "Querida, seu coraçãozinho está magoado; não pense que sou cruel apenas porque obedeço à lei inescapável de minhas forças e fraquezas; se seu querido coração está ferido, meu coração selvagem sangra com o seu. Arrebatada em enorme humilhação, sobrevivo apenas porque você também vive, e acabará morrendo — mas morrerá suavemente — para permitir que eu continue quente, e viva. Não posso evitar; à medida que me aproximo, você, por sua vez, se aproximará dos outros e descobrirá o êxtase dessa crueldade, que ainda, apesar de tudo, é amor; então, por um tempo, não procure saber mais de mim e dos meus, mas confie em mim com todo o seu espírito amoroso."

Depois de tal rapsódia, ela me apertou mais forte em seu abraço trêmulo, e seus lábios em beijos suaves docemente acalentaram minha face.

Sua perturbação e sua linguagem eram ininteligíveis para mim.

Devo admitir que desses abraços tolos, que não ocorriam com muita frequência, eu costumava desejar me livrar; mas minhas energias pareciam me faltar. Suas palavras murmuradas soavam como uma canção de ninar em meu ouvido, e acalmavam minha resistência em um transe, do qual eu só parecia me recuperar quando retirava, finalmente, seus braços de cima de mim.

Eu não gostava quando ela entrava nesse estado de espírito misterioso. Experimentava uma estranha excitação conturbada, porém prazerosa, mesclada com uma vaga sensação de medo e repulsa. Eu não tinha pensamentos claros enquanto tais cenas aconteciam, mas estava consciente de que o amor que crescia em mim transformava-se em adoração, mesmo também havendo um quê de aversão. Isso eu sei, é um paradoxo, mas não consigo explicar de outra maneira tal sentimento.

Escrevo agora, após um intervalo de mais de dez anos, com a mão trêmula, e uma lembrança confusa e terrível de certas ocorrências e situações, sobre a provação pela qual eu estava passando inconscientemente; embora com uma memória vívida e muito nítida da sequência essencial de todos os fatos compondo minha história.

Suspeito, porém, que em todas as vidas existam certos momentos de extrema emoção; cenas em que nossas paixões mais selvagens e terríveis são despertadas, tornando as demais apenas vagas recordações.

Às vezes, após momentos de apatia, minha estranha e bela companheira pegava minha mão e a segurava com uma pressão afetuosa, renovada continuamente; corando suavemente, fitando meu rosto com olhos lânguidos e ardentes, e respirando tão rápido que seu vestido subia e descia com a ansiedade presente. Era como o ardor de um amante; isso me envergonhava; era odioso e, no entanto, avassalador; e com olhos exultantes ela me puxava para perto, e seus lábios quentes que percorriam minha bochecha em beijos; ela sussurrava, quase em soluços: "Você é minha, será sempre minha, e você e eu seremos uma sempre". E então ela novamente se jogava na cadeira, tapando os olhos com as mãos pequenas. Eu percebia estar tremendo.

— Somos parentes? — eu costumava perguntar. — O que você quer dizer com tudo isso? Talvez eu a lembre de alguém que ama; mas não se comporte dessa maneira, eu odeio isso. Não a reconheço, e não reconheço nem a mim mesma quando assim fala e age.

Ela costumava suspirar ante minha veemência, e depois virar-se soltando minha mão.

Respeitando tais manifestações tão extraordinárias, em vão me esforcei para formar qualquer teoria satisfatória. Não pude com certeza dizer serem fingimento ou truques. Foram, portanto, momentos em que sua emoção e instintos lhe fugiam do controle, claramente. Estaria ela, então, apesar da negação voluntária de sua mãe, sujeita a breves visitas de insanidade? Ou haveria ali um disfarce e um romance? Eu havia lido sobre coisas assim em antigos livros de histórias. E se um jovem amante tivesse se infiltrado em nossa casa e, disfarçado, resolveu seguir com seu intento, com a ajuda de uma velha e inteligente aventureira? Mas havia muitas coisas contra essa hipótese, por mais interessante que fosse para minha vaidade.

Eu não tinha como me gabar de pequenas demonstrações de atenção, ou quaisquer coisas que a galanteria masculina pudesse oferecer. Entre esses momentos apaixonados, havia longos intervalos de banalidades, alegrias, e pensamentos tacirturnos, durante os quais, exceto pelo fato de notar seus olhos me seguindo, carregados de uma ardência melancólica, às vezes poderia jurar não ser nada para ela. Tirando tais breves períodos de excitação misteriosa, seus modos eram de menina; e sempre havia nela um langor, bastante incompatível com uma índole masculina, estando em plena saúde.

Em alguns aspectos, seus hábitos eram estranhos. Talvez não tão singulares na opinião de pessoas da cidade como você, comparando conosco, camponeses. Ela acordava muito tarde, geralmente não antes da uma hora, e tomava uma xícara de chocolate, mas não comia nada; então saíamos para uma caminhada, que tratava-se de um mero passeio, e ela parecia, quase imediatamente, exausta, assim voltando para o *schloss* ou sentando-se em um dos bancos que foram colocados, aqui e ali, entre as árvores. Este era um langor corporal com o qual sua mente não simpatizava. Ela sempre teve uma conversa animada e muito inteligente.

Às vezes aludia por um momento à sua casa, ou mencionava uma aventura ou situação, uma lembrança antiga, remetendo a um povo de maneiras estranhas, descrevendo costumes dos quais nada sabíamos. Deduzi dessas pistas casuais que seu país natal era muito mais remoto do que eu havia imaginado a princípio.

Enquanto estávamos sentadas assim numa tarde sob as árvores, um funeral passou por nós. Era de uma jovem bonita, que eu vira com frequência, filha de um dos guardas florestais. O pobre homem caminhava atrás do caixão de sua querida; ela era sua única filha, e ele parecia bastante inconsolável.

Camponeses caminhando de dois em dois vinham atrás, e cantavam um hino fúnebre.

Levantei-me para cumprimentá-los quando passaram, e juntei-me ao hino que cantavam docemente.

Minha companheira sacudiu-me um pouco rudemente e eu me virei surpresa.

— Você não percebe como tal música é dissonante? — disse, bruscamente.

— Acho muito doce, pelo contrário — respondi, aborrecida com a interrupção, e muito constrangida, temendo que as pessoas compondo a pequena procissão observassem e se ressentissem do que estava acontecendo.

Retomei, portanto, instantaneamente, e fui novamente interrompida.

— Você perfura minhas orelhas — disse Carmilla, quase com raiva, e tapando as orelhas com seus dedinhos. — Além disso, como sabe se seguimos a mesma religião? Seus ritos me ofendem; eu odeio funerais. Quanta inutilidade! Afinal, pessoas morrem — todo mundo morre. No fim, todos ficam felizes depois de mortos. Vamos embora para casa.

— Meu pai seguiu com o clérigo para o cemitério. Achei que você soubesse que ela seria enterrada hoje.

— Ela? Não perco a cabeça com camponeses. Não sei quem ela era — respondeu Carmilla, com um lampejo de seus belos olhos.

— Ela é a pobre garota que imaginou ter visto um fantasma quinze dias atrás, e vinha definhando desde então; até ontem, quando faleceu.

— Não me fale sobre fantasmas. Não vou dormir esta noite se você o fizer.

— Espero que nenhuma praga ou febre esteja por vir, pois é o que me parece — continuei. — A jovem esposa do criador de porcos morreu há apenas uma semana, e ela pensou ter sido agarrada pelo pescoço enquanto estava deitada em sua cama, quase estrangulando-a. Papai diz que tais fantasias horríveis acompanham algumas formas de febre. Ela estava muito bem no dia anterior, mas caiu doente e morreu depois de alguns dias.

— Bem, seu funeral acabou, espero, e seus cânticos foram cantados; e nossos ouvidos não serão torturados com tal dissonância e palavrório.

Isso tudo me deixou nervosa. Sente-se aqui, ao meu lado; sente-se perto de mim e segure minha mão, com força.

Nós fomos um pouco para trás e chegamos a outro dos bancos.

Ela se sentou. Seu rosto havia sofrido uma mudança que me assustou e até aterrorizou por um momento. Tornou-se sombrio e terrivelmente lívido; seus dentes e mãos estavam cerrados, e ela franziu a testa e comprimiu os lábios, enquanto olhava para o chão a seus pés, em um tremor contínuo tão irreprimível quanto a febre. Todas as suas energias pareciam estar se esforçando para reprimir um ataque, com o qual ela lutava arduamente. Por fim, um grito baixo e convulsivo de sofrimento irrompeu dela, e gradualmente a histeria diminuiu.

— Veja! É isso que acontece quando sufocam as pessoas com seus cânticos! — ela disse finalmente. — Abrace-me, bem forte. Está passando; fique perto de mim.

E assim gradualmente passou; e talvez para dissipar a impressão sombria que o espetáculo me causou, ela tornou-se extraordinariamente animada e tagarela. De tal forma chegamos em casa.

Esta foi a primeira vez que a vi exibir quaisquer sintomas definíveis daquela saúde frágil mencionda por sua mãe. Também foi a primeira vez que a vi expressando qualquer coisa parecida com mau humor ou temperamento.

Ambas as expressões faleceram como uma nuvem de verão; e nunca, senão uma única vez depois disso, testemunhei da parte dela um sinal momentâneo de raiva. Vou contar como isso aconteceu.

Ela e eu olhávamos através de uma das longas janelas da sala de visitas, quando entrou no pátio, pela ponte levadiça, a figura de um andarilho que eu conhecia muito bem. Ele costumava visitar o *schloss* geralmente duas vezes por ano.

Era a figura de um corcunda, com as feições oblíquas que geralmente acompanham a deformidade. Ele usava uma barba negra pontiaguda e sorria de orelha a orelha, mostrando suas presas brancas. Estava vestido em bege, preto e escarlate, cruzado com mais tiras e cintos do que eu poderia contar, dos quais pendiam todos os tipos de coisas. Atrás trazia uma lanterna mágica e duas caixas, que eu bem conhecia, numa das quais havia uma salamandra, e na outra uma mandrágora. Esses monstros costumavam fazer meu pai rir. Eram feitos com partes de macacos, papagaios, esquilos, peixes e ouriços, mumificados e costurados com grande capricho e com um resultado surpreendente. Ele tinha também um violino, uma caixa de aparatos para ilusionismo e um par de lâminas e máscaras presas ao cinto, junto de vários outros objetos misteriosos pendurados ao seu redor e um cajado preto com ponteiras de cobre na mão. Seu companheiro era um cão rude e magro, que o seguia de perto, mas parou de repente, desconfiado, e então começou a uivar melancolicamente.

Nesse ínterim, o charlatão, parado no meio do pátio, ergueu seu chapéu grotesco e nos fez uma reverência muito cerimoniosa, cumprimentando-nos loquazmente em um francês execrável, e alemão não muito melhor.

Então, desengatando seu violino, ele arriscou uma melodia animada junto da qual cantava com uma alegre dissonância, dançando com expressões e movimentos ridículos, fazendo-me rir, apesar dos uivos do cachorro.

Então ele avançou para mais perto da janela, com muitos sorrisos e saudações, com o chapéu na mão esquerda, o violino debaixo do braço, e uma fluência que nunca parava para respirar, tagarelando sobre todas as suas realizações e recursos com os quais nos proporcionava sua arte, curiosidades e entretenimento, que, ao nosso pedido, em prontidão exibiria.

— Vossas Senhorias gostariam de comprar um amuleto contra o oupire[4], que vaga como um lobo, ouvi dizer, por esta floresta? — disse ele deixando cair o chapéu na calçada. — Pessoas estão morrendo disso a torto e a direito, e tal encanto de um talismã nunca falha; apenas prenda-o ao travesseiro, e poderão rir na cara do monstro.

---

4 *Oupire* é sinônimo de vampiro. O termo foi usado pelo francês Augustin Calmet, em seu tratado sobre o tema, em 1751. (N. do R.)

Carmilla

Esses amuletos consistiam em tiras oblongas de pergaminho, com cifras e diagramas cabalísticos.

Carmilla comprou um instantaneamente, e eu também.

Ele olhava para cima, e nós sorríamos para ele, divertidas; pelo menos, posso responder por mim mesma. Seus olhos de uma cor escura e penetrante, quando nos viu, pareceram detectar algo que, por um momento, despertou sua curiosidade.

De imediato, desenrolou um estojo de couro, repleto de pequenos instrumentos feitos de aço.

— Veja aqui, minha senhora — disse ele, exibindo-o e dirigindo-se a mim. — Eu professo, entre outras coisas menos úteis, a arte da odontologia. Que a peste leve este cão! — interpelou-se. — Silêncio, animal! Ele uiva tanto que Vossas Senhorias mal conseguem ouvir uma palavra. Sua nobre amiga, a jovem à sua direita, possui dentes afiados — longos, finos e pontiagudos, como pregos e agulhas, ha, ha! Com minha visão aguçada e potente, mesmo olhando daqui de baixo, eu os vejo distintamente; agora, se por acaso eles a machucam, e acho que devem, aqui estou eu, com esta minha lima, meu buril, e minhas pinças; farei com que fiquem redondos e cegos, se a senhora assim os quiser. Não mais serão dentes de peixe, mas sim de uma bela jovem, fazendo-lhe jus. Mas, espere! Fiscaste descontente? Fui eu muito ousado? Eu a ofendi?

A jovem, de fato, parecia muito zangada ao se afastar da janela.

— Como aquele charlatão ousa nos insultar tanto? Onde está seu pai? Exigirei retratação da parte dele. Meu pai teria amarrado o miserável a um tronco, açoitado com um chicote de carroça e queimado até os ossos com o ferro de marcar gado!

Ela se afastou um ou dois passos da janela, sentou-se, e mal havia perdido de vista o ofensor quando sua cólera cedeu tão repentinamente quanto havia surgido; gradualmente, recuperou seu tom habitual e pareceu esquecer do pequeno corcunda e de suas loucuras.

Meu pai estava cabisbaixo naquela noite. Ao entrar, ele nos disse que havia outro caso muito semelhante aos dois fatais ocorridos recentemente. A irmã de um jovem camponês que morava em nossa propriedade, a apenas um quilômetro e meio de distância, estava muito doente; havia sido, como ela descreveu, atacada quase da mesma maneira, e agora desvanecia lenta, mas constantemente.

— Tudo isso — disse meu pai — pode ser estritamente atribuível a causas naturais. Essas pobres pessoas se infectam com suas superstições, e assim repetem em imaginação as imagens de terror que infestaram seus vizinhos.

— Mas, de qualquer forma, imaginar pode assustar terrivelmente —disse Carmilla.

— Como assim? — perguntou meu pai.

— Tenho tanto medo de delirar de tal forma. Acho que seria tão ruim quanto enfrentá-lo em realidade.

— Estamos nas mãos de Deus: nada pode acontecer sem a sua permissão, e tudo acabará bem para aqueles que o amam. Ele é nosso fiel criador; criou a todos e cuidará de nós.

— O Criador! *A natureza!* — disse a jovem em resposta ao meu gentil pai. — Essa doença que invade a região é natural. Natureza. Todas as coisas procedem da Natureza, não é? Todas as coisas no céu, na terra e debaixo da terra, agem e vivem como a natureza ordena. Eu penso que sim.

— O médico disse que viria hoje — disse meu pai, depois de um silêncio. — Eu quero saber o que ele pensa sobre isso; o que acha que devemos fazer.

— Os médicos nunca me ajudaram — disse Carmilla.

— Então você esteve doente? — perguntei.

— Mais doente do que você jamais esteve — ela respondeu.

— E faz muito tempo?

— Sim, muito tempo. Eu sofri dessa mesma doença; mas esqueci de tudo, exceto da minha dor e fraqueza, e elas não eram tão graves quanto as de outras enfermidades.

— Você era muito jovem, então?

— Por favor, não falemos mais sobre isso. Você não iria querer magoar uma amiga, iria?

Carmilla

Ela olhou languidamente nos meus olhos, passou o braço em volta da minha cintura e, com amor, conduziu-me para fora da sala.

Meu pai estava ocupado com alguns papéis perto da janela.

— Por que seu pai gosta de nos amedrontar? — disse a bela menina, com um suspiro e um sutil calafrio.

— Ele não gosta, querida Carmilla; é a coisa mais distante de sua mente.

— Você está com medo, minha querida?

— Estaria com muito se acreditasse que há algum perigo real de sermos atacadas como aquelas pobres pessoas.

— Você tem medo de morrer?

— Sim, todos têm.

— Mas morrer como podem morrer os amantes, para que possam viver juntos. As meninas são como lagartas enquanto vivem no mundo, para finalmente serem borboletas quando chega o verão; mas enquanto isso, existem apenas as larvas, veja: cada uma com suas propensões, necessidades e estruturas peculiares. Assim diz Monsieur Buffon[5], em seu grande livro, na sala ao lado.

Mais tarde, o médico veio e ficou trancado com papai por algum tempo. Ele era um homem habilidoso, de sessenta anos ou mais, que usava em sua face sempre barbeada algum tipo de pó, assim aparentando ser tão lisa quanto uma abóbora. Quando saíram juntos da sala, ouvi papai rir e dizer:

— Bem, fico espantado ao ouvir tais coisas saindo de um homem tão sábio como você. O que tem a dizer sobre hipogrifos e dragões?

O médico estava sorrindo e respondeu, balançando a cabeça:

— Entretanto, vida e morte são estados misteriosos, e pouco sabemos sobre os recursos de ambos.

Assim seguiram em frente, e eu não ouvi mais nada. Não sabia exatamente sobre o que o médico estava falando, mas acho que agora eu tenha alguma ideia.

---

5 Georges-Louis Leclerc (1707-1788) foi um naturalista, matemático, cosmólogo e enciclopedista francês. (N. do R.)

5. UMA SEMELHANÇA MARAVILHOSA

Naquela tarde, chegou de Gratz[6] um moço sério e de semblante sombrio, filho do nosso restaurador de quadros, numa carroça puxada por apenas um cavalo. Trazia consigo dois caixotes, dentro dos quais havia inúmeros quadros. Essa era uma viagem de cerca de 50 quilômetros, e sempre que alguém chegava ao *schloss* vindo de nossa capital, costumávamos nos reunir à sua volta no saguão, para ouvir as notícias.

Tal chegada causou certo movimento em nosso lar isolado. As caixas permaneceram onde foram descarregadas, e o mensageiro foi cuidado pelos criados até que tivesse terminado seu jantar. Então, com ajuda e dispondo de um martelo, cinzel e chave de fenda, ele nos encontrou no saguão, onde havíamos nos reunido para testemunhar a abertura dos caixotes.

Carmilla ficou olhando, indiferente, enquanto, um após o outro, os quadros antigos, quase todos retratos, que haviam passado pelo processo de reforma, foram trazidos à luz. Minha mãe era de uma velha família húngara, e a maioria dessas imagens, que estavam prestes a ser realocadas em seus lugares, chegaram até nós por meio dela.

Meu pai tinha uma lista na mão, a qual lia, enquanto o artista vasculhava os números correspondentes. Não sei se eram de fato muito boas, mas eram, sem dúvida, muito antigas, e algumas muito curiosas também. Elas tiveram, em sua maioria, o mérito de serem agora vistas por mim, posso dizer, pela primeira vez; pois a fumaça e a poeira do tempo quase as haviam apagado.

— Há uma imagem que ainda não vi — disse meu pai. — Em um canto no topo, há um nome; ao que pude ler, é "Marcia Karnstein", e a data, "1698"; estou curioso para ver como ficou.

---

6 Hoje Graz é a segunda maior cidade da Áustria, depois de Viena, sendo a capital da Estíria. (N. do R.)

Carmilla

Eu me lembrava dela; era uma pintura pequena, com cerca de 50 centímetros de altura, quase quadrada e sem moldura; mas estava tão enegrecida pelo tempo que não se conseguia ver nada.

O artista então a mostrou, com evidente orgulho. Era belíssima e surpreendentemente vívida. Era claramente o rosto de Carmilla!

— Carmilla, querida, isto é um milagre absoluto. Aqui está você, viva, sorrindo, pronta para falar, nesta foto. Não é lindo, papai? E veja, até mesmo mostra sua marquinha na garganta.

— Certamente é uma semelhança maravilhosa — disse meu pai, logo desviando o olhar, pois, para minha surpresa, pareceu pouco impressionado, e continuou conversando com o restaurador de quadros, que também era um artista, e discursava com sabedoria sobre os retratos e outras obras, as quais seu talento acabara de trazer à luz e à cor; eu, no entanto, quanto mais olhava para a pintura em questão, mais maravilhada ficava.

— Posso, então, pendurar este quadro em meu quarto, papai? - perguntei.

— Certamente, querida — disse ele, sorrindo. — Estou muito feliz que tenha gostado e visto uma semelhança. Deve ser ainda mais bonito do que eu pensava, se realmente for parecido.

A jovem não esboçou nenhuma reação a este belo discurso, e simplesmente não pareceu ouvi-lo. Ela estava recostada em uma cadeira, seus lindos olhos encobertos por longos cílios olhando para mim em contemplação, e então sorriu em uma espécie de transe.

— Agora é possível ler claramente o nome que está escrito no canto superior. Não é Márcia; e parece que foi feito em ouro. O nome é Mircalla, Condessa de Karnstein, e há uma pequena coroa desenhada também, junto com a data de d.C. 1698. Sou descendente dos Karnstein; isto é, mamãe era.

— Ah! — disse a jovem, languidamente. — Eu também sou, eu acho; uma descendência muito longa, e muito antiga. Há algum Karnstein vivo hoje?

— Nenhum que leve o nome, eu acredito. A família foi arruinada, até onde sei, em alguma guerra civil há muito tempo; mas as ruínas do castelo estão a apenas cerca de cinco quilômetros de distância.

— Que interessante! — ela disse, com a mesma languidez. — Mas veja que lindo luar! — falou, olhando através da porta do saguão, que estava um pouco aberta. — Imagine dar um pequeno passeio para contemplar a estrada e o rio.

— Foi em uma noite muito parecida com esta que você veio até nós, Carmilla — eu disse.

Ela suspirou, sorridente. Levantou-se e, cada uma com o braço em volta da cintura da outra, saímos para o pátio do castelo.

Em silêncio, descemos lentamente até a ponte levadiça, onde a bela paisagem se abria diante de nós.

— Então você estava pensando na noite em que cheguei aqui? — ela quase sussurrou. — Está feliz pela minha vinda?

— Encantada, querida Carmilla — eu respondi.

— E você pediu a pintura que pensa parecer comigo, para pendurar em seu quarto — ela murmurou com um suspiro, enquanto apertava um pouco mais o braço em volta de minha cintura, e afundava sua cabeça em meu ombro.

— Como você é romântica, Carmilla — eu disse. — Sempre que precisar contar sua história, ela será certamente composta por um grande romance.

Ela me beijou em silêncio.

— Tenho certeza, Carmilla, de que você já esteve apaixonada; e que há, neste momento, um caso do amor acontecendo.

— Nunca me apaixonei por ninguém, e nunca me apaixonarei — ela sussurrou — a menos que seja por você.

Como ela ficava bonita ao luar!

Com um olhar tímido e estranho, ela rapidamente escondeu a face em meu pescoço e cabelos, com suspiros tumultuados, quase como soluços, apertando minha mão com a sua, trêmula.

Sua bochecha macia ardia de encontro à minha.

— Querida, querida... — ela murmurou. — Eu vivo em você; e você morreria por mim; eu a amo tanto.

Afastei-me dela.

Carmilla

Ela olhava-me com olhos de onde todo o fogo, todo o significado haviam desaparecido, e com um rosto sem cor e apático.

— Há um frio no ar, não? — ela disse sonolenta. — Estou quase tremendo. Será que estive sonhado? Entremos. Venha, vamos para dentro.

— Você parece doente, Carmilla; talvez um pouco fraca. Certamente deveria tomar um pouco de vinho — eu disse.

— Sim, tomarei. Estou melhor agora, e ficarei ainda mais em alguns minutos. Dê-me um pouco de vinho — respondeu Carmilla, enquanto nos aproximávamos da porta. — Olhemos novamente por um momento; talvez seja a última vez que aprecio o luar junto com você.

— Como se sente agora, querida Carmilla? Está realmente se sentindo melhor? — perguntei.

Eu começara a ficar alarmada, temendo que ela houvesse sido atingida pela estranha epidemia que tanto diziam ter invadido aquela região de nosso território.

— Papai ficaria extremamente chateado — acrescentei —, se pensasse que está meio doente, mas não nos avisou de imediato. Há um médico muito habilidoso que reside perto de nós; aquele que esteve com papai hoje.

— Tenho certeza de que ele é habilidoso, e sei como todos vocês são generosos; mas, minha querida, já encontro-me bem novamente. Não há nada de errado comigo, apenas um pouco de fraqueza. As pessoas dizem que pareço abatida; sou incapaz de fazer esforço, e mal posso andar tanto quanto uma criança de três anos. De vez em quando, a pouca força que tenho vacila e fico como você acabou de testemunhar. Mas, de todo modo, muito facilmente recupero-me, e em num instante volto perfeitamente a ser eu mesma. Veja como já me recuperei.

De fato, ela havia se recuperado; e então conversamos muito, num diálogo muito animado. O restante daquela noite transcorreu sem qualquer outro episódio de seus "estranhos arrebatamentos", que era a maneira escolhida por mim para referir-me à sua fala e aparência bizarras, as quais me constrangiam e até me assustavam.

Entretando, naquela noite ocorreu um evento que daria novo rumo aos meus pensamentos, e pareceu injetar, até mesmo na natureza lânguida de Carmilla, uma energia momentânea.

6. UMA AGONIA MUITO ESTRANHA

Quando entramos na sala de visitas e nos sentamos para o nosso café com chocolate, mesmo Carmilla não tomando nada, aparentava ser ela mesma novamente; Madame e Mademoiselle De Lafontaine juntaram-se a nós, para um momento de jogo de cartas, e logo meu pai apareceu para sua xícara de chá diária.

Quando o jogo terminou, ele sentou-se ao lado de Carmilla no sofá e perguntou, ansiosamente, se ela havia tido notícias de sua mãe desde sua chegada.

— Não — respondeu.

Ele então perguntou se sabia para onde deveria mandar uma carta, caso desejasse, no presente momento, com ela falar.

— Não posso dizer — ela respondeu ambiguamente. — Mas venho pensando em deixá-los; vocês já foram hospitaleiros e gentis demais comigo. Dei-lhes uma infinidade de problemas, e desejo amanhã pegar uma carruagem para ir em busca dela. Sei onde devo encontrá-la, mesmo que não ouse contar a vocês.

— Mas nem sonhe em fazer isso — exclamou meu pai, para meu alívio. — Não podemos perdê-la, e não consentirei com a tua saída, exceto sob os cuidados de sua mãe, que foi tão boa em permitir que ficasse conosco até sua volta. Eu ficaria muito feliz em saber que teve notícias dela, pois, esta tarde, os relatos sobre o progresso da doença misteriosa que invadiu nossa vizinhança cresceram de forma ainda mais alarmante; e minha linda convidada, sinto em mim o peso da responsabilidade, estando sem o apoio de sua mãe. Porém, farei o meu melhor; e uma coisa é certa, você não deve pensar em nos deixar sem sua distinta instrução para tal. Sofreremos muito com tal separação para consentir assim tão facilmente.

Carmilla

— Obrigada, senhor, um milhão de vezes, pela sua hospitalidade — ela respondeu, sorrindo timidamente. — Vocês foram todos muito bondosos comigo; eu nunca antes fui tão feliz em toda a minha vida, não como sou em seu lindo castelo, sob seus cuidados, e na companhia de sua querida filha.

Então, galantemente, com seu jeito antiquado, ele beijou sua mão, sorridente e feliz pelo seu pequeno discurso.

Eu, como sempre, acompanhei Carmilla até seu quarto, sentando e conversando com ela enquanto se preparava para dormir.

— Você acha — perguntei após algum tempo —, que algum dia confiará plenamente em mim?

Ela virou-se com um sorriso, mas não respondeu, e permaneceu sorrindo para mim.

— Não vai responder? — eu disse. — Talvez não possa responder de forma agradável; eu não deveria ter perguntado.

— Você está certa em me perguntar, tanto isso como qualquer coisa. Se soubesse o quanto é querida por mim, saberia que, de minha parte, gostaria de poder compartilhar todos os segredos com você, por maiores que fossem. Porém, estou sob juramento, mais rigoroso ainda do que o de uma freira, e não ouso contar minha história agora, nem mesmo para você. O momento, no qual devo contar-lhe tudo, está próximo. Pensará que sou cruel e muito egoísta, mas o amor é sempre egoísta; na mesma medida em que é ardente. Você não tem ideia do quão ciumenta eu sou. Deve juntar-se a mim e me amar até a morte, ou então me odiar e ainda assim vir comigo, para odiar-me na morte e até depois dela. Não existe indiferença em minha natureza apática.

— Ora, Carmilla, lá vem você falar suas bobagens de novo — eu disse apressadamente.

— Não, não o farei. Sou uma boba, cheia de caprichos e fantasias; mas por você, falarei como um sábio. Alguma vez já foi a um baile?

— Não; mas como você muda tão abruptamente de assunto. Como é um baile? Deve ser encantador.

— Quase não me recordo, foi há anos.

— Você não é tão velha — disse após um breve riso. Seu primeiro baile dificilmente poderia já ter sido esquecido.

— Lembro-me de tudo, porém, com certo esforço. Vejo as coisas em minha mente, como um mergulhador vê o que está acontecendo acima dele, através do mar denso e ondulante, mas transparente. Ocorreu, naquela noite, algo que confundiu as imagens, fazendo com que as cores esmaecessem. Quase fui assassinada, em minha própria cama, ferida bem aqui — ela tocou em seu peito — e nunca mais fui a mesma desde então.

— Esteve você à beira da morte?

— Sim, eu estive; por um amor cruel e estranho, que teria tirado minha vida. Veja, o amor tem seus sacrifícios, e não há sacrifício sem sangue. Vamos dormir agora; estou me sentindo exausta. Como poderia me levantar agora para trancar a porta?

Ela estava deitada com as mãos pequeninas enterradas nos ricos cabelos ondulados, sob a bochecha; a cabeça no travesseiro, e seus olhos brilhantes me seguindo por onde eu passava, com uma espécie de sorriso tímido que eu não conseguia decifrar.

Dei-lhe boa noite e saí do quarto com uma sensação desconfortável.

Muitas vezes me perguntei se nossa linda convidada fazia suas orações antes de dormir. Eu certamente nunca a tinha visto de joelhos. De manhã, ela só descia muito depois de nossas orações em família terem terminado e, à noite, nunca saía da sala de visitas para assistir às nossas breves orações noturnas no saguão.

Se não fosse por acaso, em uma de nossas conversas descuidadas, ter dito que havia sido batizada, eu duvidaria de sua cristandade. Religião era um assunto sobre o qual eu nunca a ouvira falar. Se eu conhecesse melhor o mundo, talvez essa negligência ou antipatia em particular não teria me surpreendido tanto.

Receios, quando vindos de pessoas nervosas, são contagiosos; assim, aqueles de temperamento semelhante tendem a imitá-los depois de algum tempo. Adotei o hábito de Carmilla, trancando a porta do quarto, após ter infestado minha cabeça com todos os medos e fantasias sobre invasores noturnos e assassinos silenciosos. Também passei a fazer, como ela, uma breve checagem do quarto, a fim de me certificar de estar livre de qualquer um à espreita, escondido.

Tomadas essas sábias medidas, deitei-me na cama e adormeci; havia sempre uma vela acesa também: um hábito antigo, e antigo demais para que pensasse em desfazer-me dele.

Assim protegida, poderia descansar em paz. Porém, os sonhos atravessam paredes de pedra, iluminam quartos escuros, e enoitecem os iluminados; quem neles se faz presente, entra e sai como bem entende, burlando todas as trancas.

Tive um sonho naquela noite, algo que marcou o início de uma agonia muito estranha. Não posso chamá-lo de pesadelo, pois estava bastante consciente, e sabia que dormia. Todavia, também me via em meu quarto e deitada na cama, exatamente como era, de fato, fora do sonho. Vi, então, ou imaginei ter visto, o quarto e sua mobília precisamente como os vira antes de adormecer, exceto pelo fato de estar tudo muito mais escuro; logo notei algo em movimento ao pé da cama, o que, a princípio, não pude distinguir com precisão. Porém, não tardou, e percebi tratar-se de um animal preto, coberto em fuligem, quase como um gato monstruoso. Aparentava ter cerca de um metro, ou um metro e meio de comprimento, pois media o mesmo que o tapete da lareira ao passar por ele. Ficou indo e vindo, com ágil e sinistra inquietação, como de uma fera em uma gaiola. Eu não conseguia gritar, embora, como você pode supor, eu estivesse apavorada. Seus movimentos tornavam-se cada vez mais astutos, e o quarto cada vez mais escuro; por fim, tudo ficou tão escuro que não pude ver nada além de seus olhos. Senti então seu salto leve, subindo na cama. Dois grandes olhos aproximavam-se do meu rosto e, de repente, senti uma dor mordaz, como se duas grandes agulhas tivessem penetrado fundo em meu peito, a uma ou duas polegadas de distância. Acordei com um grito. O quarto estava iluminado pela vela, que ali ardeu durante toda a noite, e vi uma figura feminina parada ao pé da cama, um pouco à direita. Usava um vestido escuro e largo, e seu cabelo estava solto, cobrindo seus ombros. Um bloco de pedra não poderia estar mais imóvel que ela. Não havia o menor movimento, nem de respiração. Enquanto eu a olhava, pareceu ter mudado de lugar, e agora estava mais perto da porta; então, chegando lá, a porta se abriu e ela se foi.

Fiquei aliviada, e voltei a respirar e me movimentar. Meu primeiro pensamento foi que Carmilla estava me pregando uma peça, e que eu havia esquecido de trancar a porta. Corri até lá e encontrei-a trancada por dentro, como de costume. Tive medo de abri-la, pois fiquei horrorizada. Pulei na cama, cobri a cabeça com as cobertas e fiquei lá, mais morta do que viva, até o amanhecer.

7. DESCENDENTE

Seria inútil tentar lhe contar o horror com que, ainda agora, recordo o ocorrido naquela noite. Não era como os terrores passageiros que os sonhos deixam para trás. Parecia agravar-se com o tempo, e infestar o quarto e a própria mobília, sendo testemunhas da aparição.

Não suportei ficar sozinha no dia seguinte. Eu deveria ter contado ao papai, mas não o fiz, por dois motivos opostos. Por um tempo, pensei que ele caçoaria da minha história, e eu não suportaria que tal fosse tratada como uma piada; depois, pensei que ele imaginaria minha saúde sendo atacada pela misteriosa doença rondando nossa vizinhança. Eu mesma não tinha nenhum receio quanto a isso, mas, como ele uma vez já quase ficou inválido, tive medo de assustá-lo.

Sentia-me bastante à vontade com minhas afáveis companheiras, Madame Perrodon e Mademoiselle Lafontaine, esta última sendo muito vivaz. Ambas perceberam meu abatimento e nervosismo e, por fim, contei-lhes o que pesava tanto em meu coração.

Mademoiselle riu, mas notei que Madame Perrodon ficou inquieta.

— A propósito — disse Mademoiselle, rindo —, o longo corredor das tílias, atrás da janela do quarto de Carmilla, é assombrado!

— Que absurdo — exclamou Madame, que provavelmente achou o tema bastante inoportuno. — E quem anda contando essa história, minha querida?

Carmilla

— Martin disse ver duas vezes, quando o antigo portão do pátio estava sendo reparado, antes do nascer do sol, a mesma figura feminina caminhando pelo corredor das tílias.

— Ele pode muito bem ter visto alguém indo ordenhar as vacas nos campos perto do rio — disse Madame.

— Certamente que sim, mas Martin prefere ficar com medo, e nunca vi tolo mais assustado.

— Não devem dizer uma palavra sobre isso para Carmilla, porque da janela de seu quarto é possível ver as tílias — interrompi —, e ela é, se isso for possível, ainda mais covarde do que eu.

Carmilla desceu um pouco mais tarde do que de costume naquele dia.

— Fiquei tão assustada ontem à noite — disse ela, assim que estávamos juntas. — Estou certa de que teria presenciado algo terrível se não fosse pelo amuleto que comprei daquele pobre corcunda, a quem chamei de nomes tão duros. Sonhei com algo preto andando em volta da minha cama, e acordei completamente horrorizada; realmente pensei, por alguns segundos, ter visto uma figura escura perto da chaminé, mas tateei debaixo do meu travesseiro em busca do amuleto e, no momento em que meus dedos o tocaram, a figura desapareceu. Tenho certeza de que algo assustador poderia ter-se feito presente e, talvez, me estrangulado, como aconteceu com aquelas pobres pessoas de quem ouvimos falar.

— Pois, escute-me — comecei, e contei minha aventura, em cujo relato ela pareceu horrorizada.

— E estava com o talismã perto de você? — ela perguntou, demonstrando estar aflita.

— Não, eu o coloquei em um vaso de porcelana na sala de visitas, mas certamente o levarei comigo esta noite, já que possui tanta fé nele.

Agora, pensando, não sei dizer, ou mesmo entender, como superei meu medo de forma tão eficaz a ponto de ficar sozinha em meu quarto naquela noite. Lembro-me claramente de ter prendido o amuleto no travesseiro. Adormeci quase que imediatamente, e dormi, a noite toda, de maneira ainda mais profunda do que de costume.

Na noite seguinte o mesmo se passou. Meu sono foi deliciosamente profundo, sem sonhos. Porém, acordei com uma sensação de cansaço e melancolia, que, no entanto, não ultrapassou os limites do que poderia ser considerado apenas um capricho meu.

— Bem, foi como lhe disse — disse Carmilla, quando descrevi meu sono tranquilo. — Também dormi muito bem ontem à noite. Prendi o amuleto no decote do robe, pois estava muito longe de mim na noite anterior. Tenho certeza de que tudo não passou de imaginação, exceto pelos sonhos. Eu costumava pensar que espíritos malignos fabricavam sonhos, mas nosso médico disse que não. Na verdade, segundo ele, febres passageiras ou outras doenças, de forma costumeira, batem à porta e, não podendo entrar, usam dos sonhos como alarme para marcar passagem.

— E como pensa que o talismã funciona? — eu perguntei.

— Foi exposto ou imerso em alguma droga, tonando-se um antídoto contra a malária — respondeu ela.

— Então ele age apenas no corpo?

— Certamente. Você não acha que espíritos malignos se assustam com pedaços de fita ou com perfumes de um boticário, não é? Não, querida; esses tormentos, vagando pelo ar, começam por tentar nossos nervos, e assim, infectam o cérebro; mas antes que possam apoderar-se de nós, o antídoto os repele. Tenho certeza de que é assim que o amuleto age. Não há nada mágico, é puramente natural.

Eu ficaria feliz se pudesse concordar com Carmilla, mas, mesmo fazendo o meu melhor, tal impressão de felicidade estava perdendo um pouco a força.

Por algumas noites, dormi profundamente, mas todas as manhãs sentia a mesma lassidão, e uma moleza pesava sobre mim o dia todo. Via-me diferente, tomada por uma estranha melancolia que insistia em não ir embora. Vagos pensamentos mórbidos começaram a brotar, e a ideia de que eu estava morrendo lentamente me assombrava de maneira gentil, apesar de nem um pouco desejável. Se era triste, o estado de espírito ao qual isso induzia também era doce. Seja o que for, minha alma concordou com a situação.

Carmilla

Não admitia estar doente, e não consentia em contar a meu pai, ou em mandar chamar o médico. Carmilla tornou-se mais dedicada do que nunca em relação a mim, e seus estranhos espasmos de lânguida adoração ficaram mais frequentes. Ela costumava vangloriar-se de mim com um crescente ardor, à medida em que minha força e ânimo diminuíam, e tal comportamento sempre me chocava, como um vislumbre momentâneo de insanidade.

Sem saber, eu estava agora em um estágio bastante avançado da doença mais estranha que um mortal já sofreu. Havia um fascínio inexplicável em seus primeiros sintomas, algo que me apaziguou, apesar do efeito incapacitante. Tal fascínio aumentou por um tempo, até atingir um certo ponto, quando gradualmente misturou-se a ele uma sensação horrível e penetrante, como você saberá, até descolorir e perverter todo o colorido da minha vida.

A primeira mudança que experimentei foi até agradável, e ocorreu sem muito espaçamento entre essa e o momento decisivo a partir do qual iniciou-se minha descida ao Averno[7]. Sensações vagas e estranhas me visitavam durante o sono, mas o que prevalecia era um frio agradável e peculiar, como aquele que sentimos ao tomar um banho de rio, movendo-nos contra a corrente. Logo começaram, também, sonhos que pareciam intermináveis, e eram tão errantes que eu nunca conseguia me lembrar dos cenários e pessoas, ou qualquer parte do que neles acontecia. Todavia, deixavam uma impressão terrível e uma sensação de exaustão, como se eu tivesse acabado de passar por um longo período de esforço mental penoso e arriscado.

Depois de todos esses sonhos, ao acordar, restava-me apenas a lembrança de ter estado em um lugar semiescuro, e de ter falado com pessoas que eu não podia ver; sobretudo, restava a lembrança de uma voz limpa e feminina, porém muito grave, que falava como que à distância, devagar, e produzindo sempre o mesmo sentimento de

---

7 Lago ao sul da Itália que marcava a entrada para os Infernos, segundo os antigos romanos. (N. do R.)

indescritível aura solene e mortífera. Às vezes, sentia uma mão passando suavemente por minha bochecha e pescoço, ou lábios quentes me beijando, de forma cada vez mais amorosa enquanto chegavam à minha garganta, mas ali a carícia se fixava. Meu coração batia mais rápido, minha respiração atribulava-se, quase em hiperventilação; soluços transformavam-se em uma sensação de estrangulamento, dando lugar a terríveis convulsões, nas quais meus sentidos me abandonavam e eu ficava inconsciente.

Já se passaram três semanas desde o início desse estado inexplicável.

Meus sofrimentos, durante a última semana, afetaram minha aparência. Eu estava pálida, meus olhos estavam dilatados e escurecidos por baixo, e o langor que há muito sentia começou a se manifestar em meu semblante.

Meu pai sempre me perguntava se eu estava doente; mas, com uma obstinação que agora me parece inexplicável, persisti em assegurar-lhe que estava muito bem.

Em certo sentido, isso era verdade. Eu não sentia dor, e não podia reclamar de nenhuma perturbação corporal. Minhas queixas pareciam estar relacionadas a delírios e nervos, e, por mais horríveis que fossem meus sofrimentos, eu os guardava, com uma reserva mórbida, quase que para mim.

Era impossível ser aquele problema terrível o qual os camponeses chamavam de *oupire*, pois eu já estava sofrendo há três semanas, e eles raramente ficavam doentes por mais de três dias, quando a morte punha fim às suas misérias.

Carmilla reclamou de sonhos e sensações febris, mas de forma algumao alarmantes quanto aquilo que eu experimentava. Meus sonhos eram extremamente preocupantes, e se eu fosse capaz de compreender minha condição, teria suplicado por ajuda e conselhos divinos. Todavia, uma influência insuspeita agia sobre mim, e minhas percepções estavam completamente entorpecidas.

Vou contar-lhe agora sobre um sonho que me ajudou numa estranha descoberta.

Carmilla

Uma noite, em vez da voz que costumava ouvir na semiescuridão, ouvi outra, doce e terna, mas, ainda assim, terrível, que dizia:
— Sua mãe a adverte para tomar cuidado com o assassino.

Ao mesmo tempo, uma luz surgiu inesperadamente, e vi Carmilla, parada ao pé da minha cama, em seu robe branco que encontrava-se banhado, do queixo aos pés, em uma enorme mancha de sangue.

Despertei aos prantos, possuída unicamente pela ideia de que Carmilla estava sendo assassinada. Lembro-me de pular da cama, mas minha lembrança subsequente é de estar no saguão, gritando por socorro.

Madame e Mademoiselle saíram correndo de seus quartos, alarmadas; uma lamparina sempre queimava no saguão e, ao me ver, logo descobriram a causa de meu terror.

Insisti em batermos à porta de Carmilla, porém, nossa batida não foi atendida. Logo aquilo se transformou em um alvoroço; gritamos por seu nome, mas tudo foi em vão.

Todas ficamos assustadas, pois a porta estava trancada. Corremos de volta, em pânico, para o meu quarto. Lá tocamos a campainha longa e furiosamente. Se o quarto de meu pai fosse daquele lado da casa, nós o teríamos chamado imediatamente para nos ajudar. Mas, infelizmente, ele estava totalmente fora de alcance, e alcançá-lo envolvia um percurso para o qual nenhuma de nós tinha coragem disponível.

Os criados, porém, logo subiram correndo as escadas. Nesse meio-tempo, eu havia vestido meu robe e chinelos, e minhas companheiras já estavam vestidas de forma semelhante. Reconhecendo as vozes dos criados no saguão, saímos juntas; e tendo renovado, inutilmente, nossa tentativa de bater à porta de Carmilla, ordenei aos homens que forçassem a fechadura. Eles o fizeram, enquanto o resto de nós assistia, segurando nossas luzes no alto; e então olhamos para dentro do quarto.

Nós chamávamos por seu nome, mas ainda não havia resposta. Olhamos ao redor do aposento. Tudo estava intacto. Todas as coisas exatamente da mesma forma em que as deixara ao desejar-lhe boa noite. Mas Carmilla se fora.

8. BUSCA

Olhando pelo quarto, perfeitamente em ordem, exceto por nossa entrada violenta, começamos a nos acalmar um pouco e logo recuperamos nossos sentidos o suficiente para dispensar os homens. Ocorreu a Mademoiselle que possivelmente Carmilla havia sido acordada pelo barulho em sua porta e, em estado de pânico, pulou da cama e se escondeu em um armário ou atrás de uma cortina, da qual ela não poderia, é claro, sair; pelo menos não até que o mordomo e seus subordinados se retirassem. Agora, então, recomeçamos nossa busca e mais uma vez chamamos por seu nome.

Tudo fora em vão, deixando-nos ainda mais perplexas e agitadas. Examinamos as janelas, mas estavam trancadas. Implorei a Carmilla que saísse de seu esconderijo, pondo fim em tal brincadeira cruel, acabando de vez com nossa preocupação. Porém, fora inútil. A essa altura, eu já estava convencida de que ela não se encontrava no quarto, nem no closet onde nos vestíamos, cuja porta ainda estava trancada por fora; ela não poderia ter entrado pela porta. Eu fiquei absolutamente intrigada. Teria Carmilla descoberto uma daquelas passagens secretas que a velha governanta dizia haver no *schloss*, embora o conhecimento da localização exata delas tivesse sido perdido? Um pouco de tempo, sem dúvida, explicaria tudo, por mais abismadas que estivéssemos no momento.

Já passava das quatro da manhã, e preferi passar as horas restantes de escuridão no quarto de Madame. Porém, a luz do dia não trouxe solução alguma para o problema.

A casa toda, com meu pai no comando, estava agitada na manhã seguinte. Cada parte do castelo foi revistada, e os terrenos foram vasculhados, mas nenhum vestígio da senhorita desaparecida foi encontrado. O riacho estava prestes a ser dragado, já que meu pai estava preocupado demais pensando em que história contaria à mãe da pobre menina em seu retorno. Eu também estava quase fora de mim, embora minha dor fosse de um tipo bem diferente.

Carmilla

A manhã transcorreu em alvoroço e agitação. Já era então uma hora da tarde, e ainda não havia notícias. Corri até o quarto de Carmilla e, para minha surpresa, a encontrei de pé em frente à penteadeira. Petrifiquei. Não pude acreditar no que meus olhos estavam vendo. Ela me chamou para perto com um gesto de dedos, em silêncio, revelando um semblante de medo extremo.

Corri até ela em um êxtase de alegria; eu a beijei e a abracei de novo e de novo. Apressei-me até a campainha e toquei-a com veemência, a fim de chamar pelos demais para que pudessem aliviar de uma vez a agonia de meu pai.

— Querida Carmilla, o que aconteceu com você todo esse tempo? Estivemos em completa angústia por sua causa — exclamei. — Onde você esteve? Como você voltou?

— A noite passada foi cheia de singularidades — disse ela.

— Pelo amor de Deus, conte-me o que puder.

— Já passava das duas da manhã — disse — quando fui dormir como de costume em minha cama, com as portas trancadas, inclusive a do closet e a que dá para a galeria. Meu sono foi ininterrupto e, até onde sei, sem sonhos; mas acordei agora há pouco no sofá do closet, e encontrei a porta entre os quartos aberta e a outra forçada. Como tudo isso poderia ter acontecido sem que eu fosse acordada? Houve com certeza muito barulho, e meu sono é particularmente frágil. Fora isso, como poderia ter sido carregada para fora da minha cama, logo eu, a quem a menor agitação assusta?

— Nesse momento, Madame, Mademoiselle, meu pai e vários criados já encontravam-se no quarto. Carmilla estava, é claro, sobrecarregada com perguntas, cumprimentos e boas-vindas. Havia apenas sua simples versão dos fatos, e, ao que parecia, dentre nós era a menos capaz de sugerir qualquer explicação para o que ocorrera.

Meu pai, pensativo, perambulava pelo quarto. Presenciei o olhar sombrio e astuto de Carmilla segui-lo por um momento.

Quando ele então dispensou os criados, tendo Mademoiselle saído em busca de um pequeno frasco contendo valeriana e sais de cheiro, não havia mais ninguém no quarto com Carmilla, exceto meu pai, Madame e eu. Foi quando ele foi até ela, pegando sua mão com muita gentileza; levou-a até o sofá e sentou-se ao seu lado.

— Você me perdoaria, minha querida, se eu arriscar uma hipótese e fizer-lhe uma pergunta?

— Quem teria um direito maior? — ela disse. — Pergunte-me o que desejar e eu lhe direi tudo. Mas minha história é simples, por mais que seja estranha e misteriosa. Não tenho certeza de absolutamente nada. Faça qualquer pergunta que quiser, mas você sabe, é claro, das limitações que mamãe me impôs.

— Perfeitamente, minha querida criança. Não preciso abordar os temas sobre os quais ela deseja nosso silêncio. Agora, a estranheza da noite passada consiste em você ter sido retirada de sua cama e de seu quarto, sem ser acordada, e essa remoção ter ocorrido aparentemente enquanto as janelas ainda estavam fechadas e as duas portas trancadas por dentro. Vou contar-lhe minha teoria e fazer uma pergunta.

Carmilla estava apoiada em uma de suas mãos, desanimada; Madame e eu ouvíamos, sem nem respirar.

— Agora, minha pergunta é a seguinte: por acaso já suspeitara ter andado enquanto dormia?

— Não; pelo menos não depois de crescida.

— Mas já lhe acontecera quando era jovem?

— Sim; sei que sim. Minha antiga babá contava vários relatos.

Meu pai sorriu e assentiu.

— Bem, eis o que aconteceu. Você se levantou durante o sono e destrancou a porta, mas não deixou a chave, como de costume, na fechadura; em vez disso, trancou-a por fora; você então pegou a chave e a levou consigo para algum dos vinte e cinco quartos deste andar, ou talvez para os andares de cima e de baixo. Há tantos cubículos e aposentos, tantos móveis pesados e acúmulo de mobilha que levaria uma semana para revistar este velho castelo minuciosamente. Você entende, agora, o que quero dizer?

— Sim, mas não completamente — ela respondeu.

— E como você explica, papai, que ela tenha acabado no sofá do closet, sendo que a havíamos procurado por lá com tanto cuidado?

— Ela apenas voltou para lá depois disso, ainda dormindo, e finalmente acordou, espontaneamente, ficando tão surpresa ao se encontrar onde estava quanto qualquer outra pessoa. Gostaria que todos os mistérios pudessem ser explicados de forma tão fácil e inocente quanto os seus, Carmilla — ele disse, rindo. — E assim podemos nos parabenizar pela certeza de que a explicação mais natural da ocorrência é também aquela que não envolve drogas soníferas, fechaduras arrombadas, ladrões, envenenadores ou bruxas; nada que precise alarmar Carmilla, ou qualquer outra pessoa, sobre nossa segurança.

Carmilla fitava-o, encantadora. Nada poderia ser mais bonito do que as tonalidades de sua pele. Creio que sua beleza era realçada por aquele langor gracioso que lhe era tão peculiar. Talvez meu pai estivesse silenciosamente contrastando a aparência dela com a minha, pois ele disse:

— Gostaria que minha pobre Laura se parecesse mais com ela mesma — suspirou.

Assim, nossos receios chegaram ao fim de forma alegre, e Carmilla voltou para seus amigos.

9. O MÉDICO

Como Carmilla recusava-se a ter uma companhia dormindo em seu quarto, meu pai providenciou para que um criado dormisse do lado de fora de sua porta; assim, caso tentasse fazer outra excursão pelo castelo durante seu sono, seria logo impedida.

Aquela noite passou silenciosamente, e na manhã seguinte, bem cedo, o médico, que meu pai havia mandado chamar sem meu conhecimento, veio me ver.

Madame acompanhou-me até a biblioteca, e lá estava esperando para me receber, solene, de cabelos brancos e óculos, o médico que já havia mencionado antes.

Contei-lhe minha história e, à medida que prosseguia, ele foi ficando cada vez mais sério.

Estávamos parados, ele e eu, no recesso de uma das janelas, um de frente para o outro. Quando terminei minha declaração, ele encostou os ombros na parede e, com os olhos fixos em mim, demonstrou seriedade e interesse, adoçados com uma pitada de horror.

Depois de um minuto de reflexão, perguntou à Madame se podia ver meu pai. Ele foi chamado prontamente e, ao entrar, sorrindo, disse:

— Ouso dizer, doutor, que o senhor me pintará como um velho tolo por tê-lo trazido aqui, e assim espero.

Porém, seu sorriso murchou quando o médico, em um semblante muito sério, acenou para ele.

Eles então conversaram por algum tempo no mesmo recesso em que eu acabara de conferenciar minhas queixas; uma conversa séria e argumentativa. A sala é muito grande, e eu e Madame ficamos juntas, ardendo em curiosidade, na outra extremidade. No entanto, não podíamos ouvir uma palavra sequer, pois eles falavam em tom muito baixo, e o recesso profundo da janela ocultava totalmente o médico e parcialmente meu pai, de quem um dos pés, braços e ombros eram só o que podíamos ver; e as vozes, suponho, eram ainda menos audíveis pelo bloqueio que a espessa parede e a janela formavam.

Depois de algum tempo, o rosto de meu pai virou-se para dentro da sala; estava pálido, pensativo e, imaginei, agitado.

— Laura, querida, venha aqui um momento. Madame, não vamos incomodá-la por enquanto, segundo o médico.

Assim, aproximei-me, pela primeira vez um pouco alarmada, pois, embora me sentisse muito fraca, não me sentia mal; e a força, sempre pensei, é algo que pode ser adquirido quando assim quisermos.

Meu pai então estendeu a mão para mim quando me aproximei, mas estava olhando para o médico e disse:

— Certamente é muito estranho, e eu não consigo compreender muito bem. Laura, venha aqui, querida; agora atenda ao Dr. Spielsberg e responda-lhe.

— Você mencionou a sensação de duas agulhas perfurando sua pele, em algum lugar do pescoço, na noite em que teve o primeiro sonho terrível. Mas, diga-me, ainda há alguma dor?

Carmilla

— Nenhuma — respondi.

— Você pode indicar com os dedos exatamente o ponto em que acha que isso ocorreu?

— Um pouco abaixo da minha garganta, bem aqui — respondi.

Eu usava um vestido matinal, que cobria o lugar em questão.

— Agora o senhor pode comprovar — disse o médico. — A senhorita se importaria caso seu pai abaixasse um pouco seu vestido na parte do pescoço? É necessário, para que possamos detectar um sintoma da enfermidade da qual vem sofrendo.

Eu concordei. Era apenas uma ou duas polegadas abaixo da borda do meu colarinho.

— Valha-me Deus, é isso mesmo! — exclamou meu pai, empalidecido.

— Agora pode ver com seus próprios olhos — disse o médico, com um triunfo sombrio.

— O que é? — exclamei, ficando apavorada.

— Nada, minha querida jovem, a não ser uma pequena mancha azul, mais ou menos do tamanho da ponta do seu dedo mindinho. Agora — continuou ele, voltando-se para meu pai —, a questão seria: como podemos proceder da melhor forma possível?

— Há algum perigo? — insisti, com grande apreensão.

— Acredito que não, minha querida — respondeu o médico. — Não vejo motivos que a privem de recuperação. Penso que logo estará se sentindo melhor. Este é o ponto em que começa a sensação de estrangulamento?

— Sim — respondi.

— E, lembre-se o melhor que puder, o mesmo ponto seria como o centro daquela sensação, que você descreveu há pouco, de uma corrente fria correndo contra seu corpo?

— Pode ter sido; creio que sim.

— Sim, consegue ver? — ele acrescentou, virando-se para meu pai em tom nada retórico. — Posso ter uma palavra com Madame?

— Certamente — disse meu pai.

Chamou Madame para perto e disse:

— Creio que minha jovem amiga aqui não esteja muito bem. Não é algo de grande problemática, espero, mas certas medidas serão necessárias, e as explicarei aos poucos. Por enquanto, Madame, faça a gentileza de não deixar a senhorita Laura sozinha nem por um momento. Esse é o único direcionamento, por ora, e é indispensável.

— Podemos contar com sua gentileza, Madame, tenho certeza absoluta — acrescentou meu pai.

Madame assegurou-lhe que sim, ansiosamente.

— E você, querida Laura, sei que seguirá as orientações do médico. — continuou. — Terei de pedir sua opinião sobre outra paciente, cujos sintomas se assemelham ligeiramente aos de minha filha, que acabamos de detalhar para você; apesar de muito mais brandos em grau, acredito que sejam do mesmo tipo. Ela é uma jovem, nossa convidada; e como disse que passará por aqui novamente esta noite, não fará nada melhor do que jantar conosco, e então poderá vê-la. Ela não desce até que seja de tarde.

— Agradeço — disse o médico. — Estarei com vocês, então, por volta das sete da noite.

Então, eles repetiram suas instruções para mim e Madame e, com esta despedida, meu pai nos deixou e saiu com o médico. Eu os vi andando juntos para cima e para baixo, entre a estrada e o fosso, na plataforma gramada em frente ao castelo, evidentemente absortos em uma conversa séria.

O médico não voltou para dentro. Eu o vi montar em seu cavalo ali, despedir-se e cavalgar para o leste através da floresta.

Quase ao mesmo tempo, vi um homem chegar de Dranfield com nossas correspondências. Ele desmontou e entregou a sacola a meu pai.

Nesse ínterim, Madame e eu estávamos ocupadas, perdidas, formulando hipóteses sobre os motivos do direcionamento tão singular e sério que o médico e meu pai concordaram em impor. Madame, como me disse mais tarde, temia que o médico esperasse ocorrer uma convulsão repentina e que, sem assistência imediata, eu poderia perder minha vida em um mal súbito, ou pelo menos me machucar seriamente.

A interpretação não me impressionou, e imaginei, talvez felizmente para meus nervos, que o arranjo fora prescrito simplesmente para garantir-me uma companhia, a qual me impediria de fazer muito exercício, comer frutas verdes, ou realizar qualquer uma das cinquenta coisas tolas às quais os jovens devem estar propensos.

Carmilla

Cerca de meia hora depois, meu pai entrou, com uma carta na mão, e disse:

— Esta carta chegou atrasada. É do General Spielsdorf. Ele deveria ter chegado aqui ontem, porém, pode não vir até amanhã, ou chegar ainda hoje.

Ele colocou a carta aberta em minha mão, mas não parecia muito satisfeito, como costumava fazer quando um convidado, especialmente alguém tão querido quanto o General, estava chegando. Pelo contrário, parecia que o desejava no fundo do Mar Vermelho. Havia claramente algo em sua mente que não quis verbalizar.

— Papai, querido, você pode me dizer uma coisa? — disse eu, de repente, colocando minha mão em seu braço e olhando-o, certamente, com um semblante de súplica.

— Talvez — ele respondeu, acariciando docemente o cabelo sobre meus olhos.

— O médico acha que estou muito doente?

— Não, querida. Tomadas as medidas certas, segundo ele, você logo irá melhorar, sendo que em pelo menos um ou dois dias, irá recuperar-se por completo — respondeu ele, de forma um tanto seca. — Gostaria que nosso bom amigo, o General, tivesse escolhido outro momento para visitar-nos; isto é, gostaria que você estivesse perfeitamente bem para recebê-lo.

— Mas diga-me, papai — insisti —, o que ele acha que tenho?

— Nada. Você não deve me importunar com perguntas — ele respondeu, mais irritado do que me lembro de tê-lo visto antes, e vendo que fiquei magoada, suponho, beijou-me e acrescentou:

— Você saberá de tudo em um dia ou dois; isto é, tudo o que sei. Mas enquanto isso, não deve preocupar sua cabeça com tais questões.

Virou-se e saiu da sala, mas antes que eu terminasse meu raciocínio, tentando entender a estranheza de tudo isso, voltou e disse que estava indo para Karnstein, ordenando que a carruagem ficasse pronta ao meio-dia, e que eu e Madame o acompanhássemos. Ele iria visitar o padre que morava perto daquelas terras pitorescas, a negócios, e como Carmilla nunca as tinha visto, poderia vir atrás de nós. Assim que ela descesse, Mademoiselle traria o necessário para um piquenique, o qual poderia ser arranjado para nós no castelo em ruínas.

Ao meio-dia, portanto, eu estava pronta, e não muito tempo depois, meu pai, Madame e eu partimos para nosso planejado passeio.

Passando a ponte levadiça, viramos à direita e seguimos pela estrada cruzando a íngreme ponte gótica. Tomando rumo ao oeste, chegaríamos à aldeia deserta e ao castelo em ruínas de Karnstein.

Nenhum caminho em meio à floresta poderia ser mais bonito. O terreno criava ondas em suaves colinas e depressões, todo revestido de belas árvores, totalmente protegidas da relativa formalidade que o plantio artificial, a agricultura e a poda precoces conferiam.

As irregularidades do terreno muitas vezes desviavam a estrada de seu curso, e faziam com que ela contornasse lindamente as encostas de vales profundos e colinas íngremes, variando em possibilidades quase inesgotáveis.

Em um dos desvios, de repente, encontramos nosso velho amigo, o General, cavalgando em nossa direção, acompanhado por um criado. Suas maletas seguiam em uma carruagem alugada, que chamamos de carroça.

O General então desmontou quando paramos e, após as saudações habituais, foi facilmente persuadido a aceitar o assento vago em nossa carruagem, enviando o cavalo com seu criado para o *schloss*.

10. ENLUTADO

Fazia cerca de dez meses desde a última vez que o vimos, mas esse tempo foi suficiente para envelhecer em anos sua aparência. Ele havia emagrecido, e algo melancólico e inquieto tomara o lugar daquela serenidade cordial, tão costumeira dele. Seus olhos azuis de um tom escuro, sempre penetrantes, agora brilhavam com uma luz mais pesada sob suas sobrancelhas grisalhas e desgrenhadas. Não foi uma mudança responsável apenas pela tristeza, pois chamas mais raivosas pareciam ter contribuído.

Carmilla

Não havíamos retomado nosso caminho por muito tempo quando o General começou a falar, com sua franqueza militar habitual, sobre o luto que lhe atingira com a morte de sua amada sobrinha e protegida. Ele então irrompeu em um tom de intensa amargura e fúria, dizendo haver investindo contra as "artes infernais" das quais ela havia sido vítima, e expressando, com mais cólera do que devoção, seu espanto ao ver que os Céus puderam tolerar uma indulgência tão monstruosa de lascívia e maldade provindas do inferno.

Meu pai, notando imediatamente que algo muito extraordinário havia acontecido, pediu-lhe, se não fosse muito doloroso, que detalhasse as circunstâncias capazes de justificar os termos fortes com os quais ele se expressou.

— Eu poderia contar-lhes tudo com prazer — disse o general —, mas vocês não acreditariam em mim.

— Por que não deveríamos? — ele perguntou.

— Porque — ele respondeu irritado —, você não acredita em nada que vá além de seus próprios preconceitos e ilusões. Lembro-me de quando era como você, mas agora conheço mais do mundo.

— Tente — disse meu pai. — Não sou tão dogmático quanto você supõe.

— Além disso, sei muito bem que você geralmente exige provas daquilo em que acredita e, portanto, estou fortemente predisposto a respeitar suas conclusões.

— Você está certo em supor que não fui levado levianamente a acreditar no maravilhoso — pois o que experimentei é maravilhoso — e fui forçado por evidências extraordinárias a acreditar naquilo que contraria, diametralmente, todas as minhas teorias. Fui enganado por uma conspiração sobrenatural.

Apesar de suas declarações de confiança na penetração do General, vi meu pai, neste ponto, olhar para o General, com, como pensei, uma forte suspeita de sua sanidade.

O General não viu, felizmente. Ele estava olhando sombria e curiosamente para as clareiras e vistas da floresta que se abriam diante de nós.

— Vocês estão indo para as Ruínas de Karnstein? — ele disse. — Sim, é uma feliz coincidência; você sabe que eu ia pedir para você me trazer aqui para inspecioná-las. Eu tenho um objetivo especial em explorar. Há uma capela em ruínas com muitos túmulos dessa família extinta, não há?

— Há, muito interessantes — disse meu pai. — Acredito que você esteja pensando em reivindicar o título e as propriedades.

Meu pai disse isso alegremente, mas o general não se lembrava da risada, nem mesmo do sorriso, que a cortesia exige da piada de um amigo; pelo contrário, ele parecia grave e até feroz, ruminando sobre um assunto que despertava sua raiva e horror.

— Algo muito diferente — disse ele, rispidamente. — Eu pretendo desenterrar algumas dessas boas pessoas. Espero, com a bênção de Deus, realizar aqui um piedoso sacrilégio, que livrará nossa terra de certos monstros e permitirá que pessoas honestas durmam em suas camas sem serem assaltadas por assassinos. Tenho coisas estranhas para lhe contar, meu caro amigo, consideraria inacreditáveis alguns meses atrás.

Meu pai olhou para ele novamente, mas, desta vez, não com um olhar de desconfiança, mas com um olhar de aguda inteligência e alarme.

— A casa de Karnstein — disse ele — está extinta há muito tempo: há pelo menos cem anos. Minha querida esposa era descendente materna dos Karnsteins. Mas o nome e o título há muito deixaram de existir. O castelo está em ruínas; a própria aldeia está deserta; faz cinquenta anos que não se vê ali a fumaça de uma chaminé; não sobrou um teto.

— É bem verdade. Tenho ouvido muito sobre isso desde a última vez que o vi; muito que irá surpreendê-lo. Mas é melhor eu relatar tudo na ordem em que ocorreu — disse o general. — Você viu minha querida protegida — minha filha, posso chamá-la. Nenhuma criatura poderia ser mais bonita e, há apenas três meses ninguém havia florescido mais.

— Sim, coitadinha! Quando a vi pela última vez, ela certamente era adorável — disse meu pai. — Fiquei triste e chocado mais do que posso dizer, meu querido amigo; eu sabia que golpe tinha sido para você.

Ele pegou a mão do general e eles trocaram uma pressão gentil. Lágrimas se acumularam nos olhos do velho soldado. Ele não procurou escondê-las. Ele disse:

— Temos sido amigos de longa data; eu sabia que você sentiria por mim, sem filhos como eu sou. Ela havia se tornado um objeto de grande interesse para mim e retribuía meus cuidados com uma afeição que alegrava meu lar e tornava minha vida feliz. Isso tudo acabou. Os anos que me restam na Terra podem não ser muito longos; mas, pela misericórdia de Deus, espero prestar um serviço à humanidade antes de morrer e servir à vingança do Céu sobre os demônios que assassinaram minha pobre filha na primavera de suas esperanças e beleza!

— Você disse, agora há pouco, que pretendia relatar tudo como aconteceu — disse meu pai. — Por favor, conte; garanto-lhe que não é mera curiosidade que me motiva.

A essa altura, havíamos alcançado o ponto em que a estrada Drunstall, pela qual o General viera, diverge da estrada que estávamos viajando para Karnstein.

— Qual é a distância até as ruínas? — perguntou o general, olhando ansiosamente para a frente.

— Cerca de meia légua — respondeu meu pai. — Por favor, deixe-nos ouvir a história que você teve a bondade de prometer contar.

---

11. A HISTÓRIA

— Com todo prazer — disse o General, com esforço, e depois de uma pequena pausa para organizar suas ideias, começou uma das narrativas mais estranhas que já ouvi.

— Minha querida criança estava esperando com prazer pela visita que vocês tiveram a bondade de arranjar-lhe, a fim de conhecer sua querida filha — aqui ele se curvou de maneira galante, porém melancólica. — Nesse meio-tempo, recebemos um convite para visitar meu velho amigo no condado de Carlsfeld, cujo *schloss* é aproximadamente a trinta quilômetros para o outro lado de Karnstein. Tratava-se de uma série de festividades que, vocês se lembram, foram dadas por ele para honrar seu ilustre visitante, o grão-duque Charles.

— Sim. E foram, creio eu, esplêndidas — disse meu pai.

— Principescas! Mas sua hospitalidade era deveras pomposa. Ele possui a lâmpada de Aladdin. Na noite na qual minha tristeza teve início, houve um baile de máscaras. Os jardins foram abertos, e nas árvores foram penduradas luzes coloridas. Havia uma disposição de fogos de artifício como a própria Paris jamais testemunhou. E a música, como sabe, é a minha fraqueza, era arrebatadora! A melhor orquestra, talvez, do mundo, e os melhores cantores que poderiam ser reunidos dentre todas as grandes óperas da Europa. Enquanto vagava por esses fantásticos espaços iluminados, o castelo, banhado pela lua, refletia uma luz rosada pelas suas longas fileiras de janelas, e você ouviria, subitamente, vozes roubando o silêncio vindo do bosque, ou amplificando-se dos barcos no lago. Senti-me, enquanto olhava e escutava, levado de volta ao romance e poesia do início de minha juventude.

"Quando os fogos de artifício acabaram e o baile começou, retornamos aos nobres salões que estavam abertos aos dançarinos. Um baile de máscaras, você sabe, é uma bela visão; mas esse fora um espetáculo magnífico, do tipo que nunca vi antes. Foi uma reunião muito aristocrática. Eu era praticamente o único sem títulos muito importantes.

"Minha querida criança estava muito bonita. Não estava de máscara. Seu entusiasmo e deleite adicionavam um charme à sua aparência que não podia ser descrito, sempre amável. Lembro-me de uma jovem moça, vestida deslumbrantemente, mas usando uma máscara, que parecia-me observar minha protegida com interesse extraordinário. Eu a havia visto mais cedo, no grande salão, e também durante algum tempo andando perto de nós, no terraço sob as janelas do castelo, similarmente engajada. Outra dama, também mascarada, rica, elegantemente vestida e com ar imponente, estava presente como sua companheira. Se a jovem não usasse tal máscara, eu poderia, é claro, ter mais certeza se ela estava mesmo ou não observando minha pobre querida; mas sei agora, com certeza, que estava.

"Estávamos então em um dos salões. Minha pobre criança estivera dançando, e por isso descansava um pouco em uma das cadeiras próximas da porta; eu estava por perto. As duas damas que mencionei haviam se aproximado, e a mais nova colocou sua cadeira ao lado da minha protegida, enquanto sua companheira foi para o meu lado. Após algum tempo, dirigiu-se, em voz baixa, ao seu cuidado.

"Aproveitando-se do privilégio de sua máscara, voltou-se para mim, e em tom de velha amiga, chamando-me pelo nome, iniciou uma conversa, que muito me aguçou a curiosidade. Ela mencionou muitas cenas em que me viu: na corte e em casas distintas. Aludiu a pequenos incidentes que eu havia esquecido, mas que, descobri, haviam apenas permanecido suspensos em minha memória, pois, instantaneamente ganhavam vida ao seu falar. Fiquei cada vez mais curioso para saber quem ela era, porém, ela aparava todas as minhas tentativas de descobri-lo com muita habilidade e prazer. O conhecimento que demonstrava sobre várias passagens da minha vida me pareceu quase inexplicável, e ela parecia ter um contentamento natural em frustrar minha curiosidade, vendo-me tropeçar numa perplexidade inquieta, de uma conjectura para outra.

"Nesse ínterim, a jovem, a quem sua mãe chamava pelo estranho nome de Millarca quando dirigiu-se a ela uma ou duas vezes, com a mesma facilidade e graça, puxou conversa com minha pupila. Ela apresentou-se dizendo que sua mãe era uma velha conhecida minha. Falou da agradável audácia que uma máscara tornava viável, fazendo-se como uma amiga. Elogiou seu vestido e insinuou muito docemente ter admiração por sua beleza. Ela a divertia com críticas risonhas às pessoas que lotavam o salão de baile, e ria da diversão de minha pobre criança. Era muito espirituosa e animada quando queria, e depois de um tempo, tornaram-se boas amigas, permitindo que a jovem estranha baixasse a máscara, exibindo um rosto extraordinariamente belo. Eu nunca a havia visto antes, nem minha querida sobrinha. Mas, embora fosse desconhecida para nós, suas feições eram tão envolventes, além de adoráveis, que era impossível não sentir um magnetismo poderoso. Assim aconteceu com minha pobre menina. Nunca vi alguém mais apaixonado por outra pessoa à primeira vista, a menos que, então, eu fale da própria estranha, quem parecia ter perdido seu coração por ela de volta.

"Pois então, valendo-me da licença da máscara, fiz algumas perguntas à senhora mais velha.

— Você me deixa totalmente perplexo — eu disse, rindo. — Já não basta? Não pode, agora, consentir em igualar nossas condições e me fazer a gentileza de remover sua máscara?

— E qual a racionalidade de tal pedido? — ela respondeu. — Não se pede a uma dama que ceda uma vantagem! Além disso, como sabe que me reconheceria? Os anos fazem diferença.

— Como pode ver em mim — eu disse, com uma reverência e, suponho, com uma risadinha um tanto melancólica.

— Assim como os filósofos nos dizem — disse ela. — E como você sabe que a visão do meu rosto o ajudaria?

— Eu poderia arriscar — respondi. — É inútil tentar parecer mais velha; sua figura a trai.

— No entanto, anos se passaram desde que o vi, ou melhor, desde que você me viu, pois é isso que importa. Millarca, ali, é minha filha. Não posso, então, ser jovem, mesmo na opinião de pessoas a quem o tempo ensinou a serem indulgentes, e posso não gostar de ser comparada com o que você se lembra de mim. Você não tem máscara para remover. Não pode me oferecer nada em troca.

— Meu pedido é um apelo à sua bondade.

— E o meu um apelo à sua; deixe-a onde está — respondeu ela.

— Bem, então, pelo menos me diga se é de origem francesa ou alemã, já que fala os dois idiomas tão perfeitamente.

— Acho que não devo lhe dizer isso, General; você pretende surpreender-me e está pensando sobre quando atacar.

— De qualquer forma, não me negaria que — eu disse —, sendo honrado por sua permissão para conversar, eu deveria saber como me dirigir a você. Devo dizer Condessa?

"Ela riu e, sem dúvida, teria me presenteado com outra evasiva. Mas é fato que, naquela conversa, em que todas as circunstâncias foram previamente arranjadas astutamente, nada seria passível de uma modificação acidental.

— Quanto a isso — ela começou; mas foi interrompida, quase ao abrir os lábios, por um cavalheiro vestido de preto, que parecia particularmente elegante e distinto, exceto pelo inconveniente de que seu rosto era o mais mortalmente pálido que já vi, tirando na morte. Ele não usava nenhum disfarce, apenas uma simples vestimenta noturna de cavalheiro, e disse, sem sorrir, mas com uma reverência cortês e extraordinariamente calma:

— A Condessa me permitiria dizer algumas palavras que podem interessá-la?

"A senhora virou-se rapidamente para ele e tocou o lábio em sinal de silêncio. Então me disse: — Guarde meu lugar para mim, General. Voltarei após de uma conversa breve.

"E com essa injunção, dada em tom de brincadeira, ela se afastou um pouco com o cavalheiro de preto e trocou algumas palavras, aparentemente muito ternos. Eles então se afastaram lentamente, juntos na multidão, e eu os perdi de vista.

"Passei um intervalo quebrando a cabeça em busca de uma conjectura sobre a identidade da dama, que parecia lembrar-se de mim tão gentilmente; pensei em me virar e participar da conversa entre minha linda pupila e a filha da Condessa, tentando a sorte para que, quando ela voltasse, eu pudesse surpreendê-la tendo seu nome, título, castelo e propriedades na ponta da língua. Porém, neste momento, ela voltou, acompanhada pelo homem pálido de preto, que disse:

— Voltarei e informarei a Condessa quando sua carruagem estiver na porta.

"Ele retirou-se com uma reverência."

12. UM PEDIDO

— Então vamos perder a presença da Condessa? Espero que apenas por algumas horas — eu disse, com uma reverência.

— Talvez sim, ou talvez me ausente por algumas semanas. Foi muito azar ele falar comigo agora, como o fez. Lembrou de mim agora?

"Eu garanti a ela que não."

— Você lembrará — disse ela —, mas não nesse momento. Somos conhecidos antigos, e mais amigos do que, talvez, você suspeite. Ainda não posso me apresentar. Dentro de três semanas, passarei por seu lindo *schloss*, sobre o qual venho fazendo perguntas. Depois, passarei algumas horas com você e renovaremos uma amizade na qual nunca penso sem mil lembranças agradáveis. Neste momento, uma notícia me atingiu como um raio. Devo partir agora e viajar por uma rota tortuosa, por quase 160 quilômetros, com toda a pressa que puder. Minha perplexidade se multiplica. Estou, apesar disso, dissuadida, por conta da reserva compulsória que pratico quanto ao meu nome, de fazer-lhe um pedido muito singular. Minha pobre filha ainda não recobrou totalmente as forças. Seu cavalo caiu com ela nele montada, em uma caçada que queria assistir, e seus nervos ainda não se recuperaram do choque; nosso médico recomendou que não se esforçasse por algum tempo. Chegamos aqui, em consequência disso, viajando fáceis trinta quilômetros por dia. Agora devo viajar dia e noite, em uma missão de vida ou morte — uma missão cuja natureza crítica e inadiável poderei explicar-lhe quando nos encontrarmos, como espero que possamos, em algumas semanas, sem a necessidade de qualquer ocultação.

"Ela passou então a fazer seu pedido, num tom de como se tal coisa equivalesse a conferir um favor, mais do que pedi-lo.

Isso era apenas uma formalidade e, ao que parecia, inconsciente. Quanto aos termos em que foi expresso, nada poderia ser mais depreciativo. Simplesmente gostaria que eu consentisse em cuidar de sua filha durante sua ausência.

"Este foi, considerando todas as coisas, um pedido estranho, para não dizer audacioso. Ela de alguma forma me desarmou, confirmando e admitindo tudo o que poderia ser incitado contra tal pedido, arriscando-se inteiramente na confiança de meu cavalheirismo. No mesmo instante, por uma fatalidade que parece ter predeterminado a situação, minha pobre criatura veio até mim e, em voz baixa, pediu-me que convidasse sua nova amiga, Millarca, para nos fazer uma visita. Ela havia sondado as vontades da moça e pensou que, se sua mãe permitisse, seria de seu agrado.

"Em outra ocasião eu deveria ter dito a ela para esperar um pouco, até que, pelo menos, soubéssemos quem elas eram. Mas não tive um momento para pensar. As duas senhoras me atacaram juntas, e devo confessar que o rosto refinado e belo da jovem, sobre o qual havia algo extremamente envolvente, bem como a elegância e resplandecência de seus títulos, deixaram-me de mãos atadas. Bastante encurralado, submeti-me e assumi, com muita facilidade, os cuidados da jovem, a quem sua mãe chamava de Millarca.

"A Condessa acenou para a filha, que ouviu com grande atenção enquanto ela lhe contava, em termos gerais, quão repentina e decisivamente havia sido convocada, e também sobre o arranjo que havia feito sob meus cuidados, acrescentando que eu era um de seus mais velhos e valiosos amigos.

"Eu fiz, é claro, os discursos que o caso parecia exigir e, refletindo, encontrei-me em uma posição que não me agradava nem um pouco.

"O cavalheiro de preto voltou e conduziu cerimoniosamente a dama para fora da sala.

"Seu comportamento foi tal que me impressionou, tendo a convicção de que a Condessa era uma dama muito mais importante do que seu modesto título poderia me levar a supor.

"Sua última emenda ao pedido foi que nenhuma tentativa deveria ser feita para descobrir mais sobre ela do que eu já poderia ter imaginado, até seu retorno. Nosso ilustre anfitrião, de quem ela era hóspede, conhecia seus motivos.

— Mas aqui — disse ela —, nem eu nem minha filha poderíamos permanecer em segurança por mais de um dia. Tirei minha máscara imprudentemente por um momento, cerca de uma hora atrás, e, tarde demais, imaginei que tivesse me visto. Então, resolvi buscar por uma oportunidade de falar-lhe. Se descobrisse que você tinha me visto, teria implorado ao seu alto senso de honra para manter meu segredo por algumas semanas. Assim, fico satisfeita por saber que não me viu. Mas se agora suspeita, ou, pensando bem, se chegaria suspeitar de quem eu sou, comprometo-me, da mesma maneira, inteiramente à sua honra. Minha filha manterá o mesmo sigilo, e sei que você irá, de tempos em tempos, lembrá-la do mesmo, para que não o revele sem pensar.

"Ela sussurrou algumas palavras para a filha, beijou-a apressadamente duas vezes e foi embora, acompanhada pelo pálido senhor de preto, desaparecendo no meio da multidão.

— Na sala ao lado — disse Millarca — há uma janela que dá para a porta do saguão. Eu gostaria de ver a partida de mamãe e jogar-lhe um beijo.

"Nós concordamos, é claro, e a acompanhamos até a janela. Olhamos para fora e vimos uma bela carruagem antiga, com uma tropa de mensageiros e lacaios. Vimos a figura esguia do cavalheiro pálido de preto, enquanto segurava uma grossa capa de veludo, colocava-a sobre os ombros da dama e jogava o capuz sobre sua cabeça. Ela acenou para ele com a cabeça e tocou sua mão em agradecimento. Ele, curvou-se em reverência repetidamente quando a porta se fechou, e então a carruagem começou a se mover.

— Ela se foi — disse Millarca, com um suspiro.

— Ela se foi — repeti para mim mesmo, pela primeira vez, após os momentos apressados que se passaram desde o meu consentimento, refletindo sobre a loucura que cometera.

— Ela não ergueu os olhos — disse a jovem, melancolicamente.

— A Condessa pode ter tirado a máscara, talvez, e não quis mostrar o rosto — eu disse — e ela não tinha como saber que você estava na janela.

"Ela suspirou e olhou para mim. Era tão bonita que cedi. Lamentei ter me arrependido por um momento de minha hospitalidade, e decidi compensá-la pela grosseria inconfessada de minha recepção.

"A jovem, recolocando a máscara, juntou-se à minha pupila para persuadir-me a voltar à festa, onde a música logo seria retomada. Assim o fizemos, descendo para o terraço que fica sob as janelas do castelo.

Millarca tornou-se muito íntima de nós, e nos divertiu com descrições e histórias vividas sobre a maioria das pessoas importantes que vimos no terraço. Eu gostava dela mais e mais a cada minuto. Sua fofoca,

Carmilla

longe de ser grosseira, era extremamente recreativa para mim, que há tanto tempo estivera longe do grande mundo. Pensei que vida ela daria às nossas noites, por vezes solitárias, em casa.

"O baile não acabou até que o sol da manhã quase atingisse o horizonte. Agradava ao grão-duque dançar até tais horas, para que os leais a ele não pudessem ir embora ou pensar em dormir.

"Tínhamos acabado de passar pelo salão lotado, quando minha pupila me perguntou o que havia acontecido com Millarca. Eu pensei que ela estivesse ao seu lado, e ela imaginou que estivesse ao meu lado. O fato era que a havíamos perdido.

"Todos os meus esforços para encontrá-la foram em vão. Temi que ela tivesse nos confundido, na confusão de uma separação momentânea, com outras pessoas, e possivelmente os tivesse seguido, perdendo-se no extenso terreno que se abria para nós.

"Agora, mais do que antes, reconheci a loucura em ter assumido os cuidados de uma jovem sem ao menos saber seu nome e, agrilhoado como estava pelas promessas, cujos motivos eu desconhecia, não pude sequer buscar por ajuda dizendo que a jovem desaparecida era filha da Condessa que partira algumas horas antes.

"Então amanheceu. Já era dia quando desisti de minha busca. Não foi até perto das duas horas do dia seguinte que tivemos notícias sobre minha protegida desaparecida.

"Mais ou menos nessa hora, um criado bateu à porta de minha sobrinha, para dizer que uma jovem senhorita, que parecia estar muito aflita, lhe pedira muito para descobrir onde poderia encontrar o General Barão Spielsdorf, a quem a mãe a deixara.

"Não havia dúvida, apesar da ligeira imprecisão, de que nossa jovem amiga havia aparecido; e ela tinha. Quisera Deus que a tivéssemos perdido!

"Ela contou à minha pobre sobrinha uma história para explicar como havia falhado em nos reencontrar por tanto tempo. Era tarde, disse ela, quando chegara ao quarto da governanta da casa, desesperada por nos encontrar, e caíra então num sono profundo que, por mais longo que tivesse sido, mal lhe bastou para recuperar as forças depois das fadigas do baile.

"Naquele dia, Millarca voltou para casa conosco. Afinal, fiquei muito feliz por ter conseguido uma companhia tão encantadora para minha querida."

13. O LENHADOR

"Logo, porém, surgiram alguns inconvenientes. Em primeiro lugar, Millarca queixava-se de extrema languidez, uma fraqueza que permanecia após seu acidente, além de nunca sair de seu quarto até que a tarde já estivesse bem avançada. Em seguida, descobriu-se acidentalmente, embora ela sempre trancasse a porta por dentro e nunca tirasse a chave de seu lugar, até que permitisse a presença de uma criada para ajudá-la no banheiro, que sem dúvida às vezes se ausentava de seu quarto bem cedo pela manhã, e várias vezes ao final do dia, desejando enganar-nos, pois pensávamos que estivesse dormindo. Ela foi vista repetidamente através das janelas do *schloss*, na primeira luz da manhã, caminhando por entre as árvores, na direção leste, e parecendo uma pessoa em transe. Isso me convenceu de que era sonâmbula. Mas essa hipótese não resolvia todo o quebra-cabeça. Como ela saía de seu quarto, deixando a porta trancada por dentro? Como saía de casa sem abrir portas ou janelas?

"No meio de meus questionamentos, uma ansiedade de um tipo muito mais urgente se apresentou. Minha querida sobrinha começou a perder sua aparência saudável de maneira misteriosa e até horrível, deixando-me completamente assustado. Ela foi a princípio visitada por sonhos terríveis, e então, como ela o descreveu, por um espectro, às vezes parecido com Millarca, e às vezes na forma de uma fera, visto indistintamente, andando ao redor do pé de sua cama, de um lado para o outro.

Por último vieram as estranhas sensações. Uma, não desagradável, mas muito peculiar, parecia o fluxo de uma corrente gelada contra seu peito. Depois disso, sentiu algo como um par de grandes agulhas perfurando-a, um pouco abaixo da garganta, promovendo-lhe uma dor muito aguda. Algumas noites depois, seguiu-se uma sensação gradual e convulsiva de estrangulamento; e então, veio a inconsciência."

Carmilla

Eu ouvia distintamente cada palavra que o gentil e velho General estava dizendo, porque a essa altura estávamos dirigindo sobre a grama curta que se espalhava em ambos os lados da estrada, ao nos aproximar da vila abandonada, que não via a fumaça de uma chaminé há mais de meio século.

Você pode imaginar como me senti estranha ao ouvir meus próprios sintomas descritos com tanta precisão, e saber que haviam sido experimentados pela pobre garota que, não fosse a catástrofe que se seguiu, teria sido naquele momento uma visitante no castelo de meu pai. Pode imaginar, também, como me senti ao ouvi-lo detalhar hábitos e peculiaridades misteriosas que eram, na verdade, de nossa bela convidada, Carmilla!

Uma vista se abriu na floresta, e de repente estávamos sob as chaminés e ruínas da vila, com as torres e ameias do castelo arrasado em torno do qual árvores gigantescas se agrupavam, pairando sobre nós de uma pequena elevação.

Num sonho amedrontado, desci da carruagem em silêncio, pois cada um de nós tinha assuntos abundantes para pensar; logo acompanhamos a subida e nos encontramos entre os aposentos espaçosos, escadas sinuosas e corredores escuros do castelo.

— E esta já foi a residência palaciana dos Karnsteins! — disse o velho General, por fim, enquanto de uma grande janela, olhava para a vila e observava a vasta e ondulante extensão da floresta. — Era uma família ruim, e aqui seus anais manchados de sangue foram escritos — continuou ele. — É difícil que, mesmo após a morte, continuem atormentando a raça humana com seus desejos atrozes. E lá vai a capela dos Karnsteins, lá embaixo.

Ele apontou para as paredes cinzentas do edifício gótico, parcialmente visíveis através da folhagem, um pouco abaixo da encosta. — E ouço o machado de um lenhador — acrescentou — ocupado entre as árvores que o cercam. Possivelmente, ele pode nos dar as informações que estou procurando, e apontar o túmulo de Mircalla, Condessa de Karnstein. Esses rústicos preservam as tradições locais de grandes famílias, cujas histórias se extinguem entre os ricos e titulados assim que suas próprias famílias se extinguem também.

— Temos um retrato, em casa, de Mircalla, a Condessa Karnstein. Gostaria de vê-lo? — perguntou meu pai.

— Ao devido tempo, caro amigo — respondeu o General. — Acredito ter visto a original e o motivo que me trouxe até você antes do que pretendia inicialmente foi a necessidade de explorar a capela da qual estamos nos aproximando agora.

— O quê! Ver a Condessa Mircalla? — exclamou meu pai — Ora, ela está morta há mais de um século!

— Não tão morta quanto você imagina, segundo me disseram — respondeu o general.

— Confesso, General, que você me deixou totalmente intrigado — respondeu meu pai, olhando para ele, e imaginei, por um momento, que a suspeita antes detectada por mim retornara. Mas, embora houvesse raiva e ódio, às vezes, à maneira do velho general, não havia nada de volúvel.

— Resta a mim — disse ele, enquanto passávamos sob o pesado arco da igreja gótica — apenas um objetivo que pode me interessar durante meus poucos anos restantes em terra: infligir sobre ela a vingança que, graças a Deus, ainda pode ser realizada por um braço mortal.

— O que quer dizer com vingança? — perguntou meu pai, cada vez mais surpreso.

— Quero dizer decapitar o monstro — ele respondeu, com um rubor feroz, e um bater de pés que ecoou melancolicamente pelas ruínas; sua mão cerrada foi ao mesmo tempo levantada, como se segurasse o cabo de um machado, enquanto ele a sacudia raivosamente no ar.

— O quê? — exclamou meu pai, mais perplexo do que nunca.

— Arrancar a cabeça dela.

— Cortar a cabeça dela?

— Sim, com uma machadinha, uma pá, ou com qualquer coisa que me permita cortar sua garganta assassina. Logo conto-lhe mais — ele respondeu, tremendo de raiva. E apressando-se, disse:

— Essa viga servirá como assento. Sua querida filha está cansada, deixe-a sentar-se e, em poucas palavras, encerrarei minha terrível história.

O bloco quadrado de madeira, que jazia no chão coberto de grama, formava um banco no qual fiquei muito feliz de me sentar e, enquanto isso, o General chamou pelo lenhador, que estava removendo alguns galhos apoiados sobre as velhas paredes. Com o machado na mão, o velho robusto estava diante de nós.

Ele não pôde nos dizer nada sobre os túmulos, mas havia um velho, ele disse, um guarda florestal, atualmente morando na casa do padre, a cerca de três quilômetros de distância, que poderia mostrar onde jazia toda a velha família Karnstein. Por uma ninharia, ele comprometeu-se a trazê-lo de volta com ele em pouco mais de meia hora, se lhe emprestássemos um de nossos cavalos.

— Você trabalha há muito tempo nesta floresta? — perguntou meu pai ao velho.

— Tenho sido o lenhador daqui — respondeu ele em seu dialeto — sob as ordens do guarda florestal, todos os meus dias, assim como meu pai antes de mim, e todos os anteriores, quantas gerações eu puder contar. Eu poderia mostrar a vocês a casa na qual meus ancestrais viveram aqui.

— Como a vila ficou deserta? — perguntou o General.

— Foi perturbada por *revenants*[8], senhor. Vários foram seguidos até seus túmulos. Detectados pelos testes habituais e mortos de maneira usual, eram decapitados, golpeados por estacas e queimados, mas não antes que muitos moradores fossem mortos.

— Todos esses procedimentos foram de acordo com a lei — ele continuou — e em meio a tantas sepulturas abertas, mesmo tendo privado os monstros da horrível força que os animava, a vila não foi aliviada. Porém, um nobre da Morávia[9], que por acaso estava passando por aqui, ouviu como estavam as coisas e, sendo hábil — como muitas pessoas em seu país — em tais assuntos, ofereceu-se para libertar a vila de seu algoz. Ele o fez assim: havendo uma lua brilhante naquela noite, subiu, logo após o pôr do sol, nas torres da capela, de onde podia ver distintamente o cemitério abaixo; podia vê-lo daquela janela. A partir dali, ele esperou até avistar um vampiro sair de seu túmulo e colocar de lado as roupas

---

8 *Revenants* são criaturas ou entidades que supostamente retornam da morte para assombrar ou interagir com os vivos. (N. do R.)
9 A Morávia é uma região histórica situada na Europa Central, atualmente localizada na República Tcheca. (N. do R)

de linho com as quais havia sido enterrado, saindo em direção à vila para atormentar seus habitantes.

"O estrangeiro, tendo visto tudo isso, desceu de onde estava, pegou as roupas de linho e as carregou até o topo da torre, na qual ele novamente subiu. Quando o vampiro voltou da ronda e sentiu falta de suas roupas, gritou furiosamente para o morávio, que ele viu no topo da torre, e que, em resposta, acenou para que subisse e as pegasse. Então o vampiro, aceitando seu convite, começou a escalar a construção e, assim que alcançou as ameias, o morávio, com um golpe de sua espada, partiu seu crânio em dois, arremessando-o para o cemitério. Descendo pela escada sinuosa, o estrangeiro seguiu e cortou sua cabeça, no dia seguinte entregando-a junto ao corpo para os moradores, que devidamente empalaram e queimaram tais restos mortais.

"Este nobre morávio obteve permissão do então chefe da vila para remover a tumba de Mircalla, Condessa de Karnstein, o que ele fez com eficácia, de modo que em pouco tempo seu local foi totalmente esquecido.

— Você pode mostrar onde ficava? — perguntou o General, ansioso.

O lenhador balançou a cabeça e sorriu.

— Nenhuma alma viva poderia lhe dizer isso agora — disse ele — Além disso, dizem que o corpo dela foi removido, mas ninguém tem certeza disso também.

Tendo assim falado, com o passar do tempo, ele largou o machado e partiu, deixando-nos ouvir o restante da estranha história do General.

14. O ENCONTRO

— Minha amada sobrinha — ele retomou — estava piorando rapidamente. O médico que a atendeu falhou em formular a menor hipótese sobre sua doença, pois assim eu supunha que fosse. Ele viu minha preocupação e sugeriu uma consulta. Chamei então um médico mais capaz, de Gratz.

Vários dias se passaram antes que ele chegasse. Era um homem bom e piedoso, bem como instruído. Tendo atendido minha pobre pupila jun-

Carmilla

tos, eles se retiraram para minha biblioteca a fim de conferenciar e discutir. Eu, da sala contígua, onde esperava sua convocação, ouvi as vozes desses dois senhores erguerem-se em algo mais agudo do que uma discussão estritamente filosófica. Bati na porta e entrei. Encontrei o velho médico de Gratz mantendo sua teoria. Seu rival o combatia com indisfarçável ridicularização, acompanhada de gargalhadas. Essa manifestação indecorosa diminuiu e a altercação terminou com minha entrada.

— Senhor — disse meu primeiro médico —, meu erudito irmão parece pensar que precise de um feiticeiro, e não um médico.

— Perdoe-me — disse o velho médico de Gratz, parecendo descontente, 'deverei expor a visão que tenho do caso à minha maneira outra vez. Lamento, *monsieur le general*, que minha habilidade e ciência não possam ser úteis. Antes de partir, farei a mim mesmo a honra de sugerir-lhe algo.

"Ele parecia pensativo; sentou-se à mesa e começou a escrever. Profundamente desapontado, fiz minha reverência e, quando me virei para ir embora, o outro médico apontou por cima do ombro para seu companheiro que estava escrevendo, encolhendo os ombros e tocando a testa.

"Essa consulta, portanto, não me servirá de nada. Saí para o jardim, quase distraído. O médico de Gratz, em dez ou quinze minutos, me alcançou. Desculpou-se por ter me seguido, mas disse que não poderia se despedir conscientemente sem mais algumas palavras. Disse que não estava enganado; nenhuma doença natural apresentava os mesmos sintomas, e essa morte já estava muito próxima. Restava, no entanto, um dia ainda de vida, ou talvez dois. Se a convulsão fatal pudesse ser evitada, com muito cuidado e habilidade, sua força poderia retornar. Porém, tudo dependia dos limites do irrevogável. Mais um ataque poderia extinguir a última centelha de vitalidade que está, o tempo todo, pronta para morrer.

— E qual é a natureza da convulsão de que você fala? — implorei.

— Declarei tudo detalhadamente nesta nota, que coloco em suas mãos com a condição distinta de que você mande chamar o clérigo mais próximo e abra minha carta na presença dele, de forma alguma a lendo até que ele esteja com você, pois a desprezaria de outra forma, e é uma questão de vida ou morte. Se o padre falhar com você, então, de fato, você pode lê-la.

"Ele me perguntou, antes de finalmente se despedir, se eu gostaria de ver um homem curiosamente erudito sobre o assunto, já que, depois de ler sua carta, provavelmente me interessaria mais do que qualquer outro. Ele insistiu sinceramente que eu o convidasse para visitar-me; e assim se foi.

"O eclesiástico estava ausente e eu mesmo li a carta. Em outro momento, ou em outro caso, poderia tê-la achado cômica. Mas quanto charlatanismo as pessoas não aceitam quando cessaram-se outros meios, tudo falhou e a vida de um ente amado está em jogo? Nada, você dirá, poderia ser mais absurdo do que aquela carta. Era monstruosa o suficiente para tê-lo mandado para um hospício. Ele disse que a paciente estava sofrendo com as visitas de um vampiro! As perfurações que ela descreveu como tendo ocorrido perto da garganta eram, ele insistiu, a inserção daqueles dois dentes longos, finos e afiados que, como se sabe, são peculiares aos vampiros; e não havia dúvidas, acrescentou, quanto à presença bem marcante de uma pequena cicatriz lívida, que todos concordavam em descrever como induzida pelos lábios do demônio. Todos os sintomas descritos estavam em exata conformidade com aqueles registrados casos semelhantes.

"Sendo eu mesmo totalmente cético quanto à existência de algo como um vampiro, a teoria sobrenatural do bom médico forneceu, em minha opinião, apenas outro exemplo de aprendizado e inteligência estranhamente associados a alucinações. Eu estava tão infeliz, que, em vez de não tentar nada, agi de acordo com as instruções da carta.

"Eu me escondi no quarto de vestir, no escuro, mas ele dava para o quarto da pobre paciente, no qual uma vela estava acesa, e observei até que ela dormisse profundamente. Fiquei parado na porta, espiando pela pequena fenda; minha espada estava sobre a mesa ao meu lado, conforme minhas instruções prescritas, até que, um pouco depois da uma, vi um grande ser preto, muito mal definido, rastejar, como parecia para mim, ao pé da cama; rapidamente espalhou-se até a garganta da pobre menina, onde inchou-se, em uma enorme massa palpitante.

Carmilla

"Por alguns segundos, fiquei petrificado. Então saltei, com minha espada na mão. A criatura de repente se contraiu em direção ao pé da cama, deslizou sobre ela e, de pé no chão, com um olhar de furtiva ferocidade e horror fixo em mim, vi Millarca. Especulando não sei o quê, eu a ataquei instantaneamente com minha espada, mas a encontrei parada perto da porta, ilesa. Horrorizado, eu a persegui e ataquei novamente. Ela se foi, e minha espada despedaçou-se contra a porta.

"Não consigo descrever tudo o que aconteceu naquela noite horrível. A casa inteira estava de pé e agitada. O espectro de Millarca havia desaparecido, mas sua vítima estava desvanecendo rapidamente e, antes que amanhecesse, morreu.

O velho General estava agitado. Nós não o incomodamos mais. Meu pai caminhava e começou a ler as inscrições nas lápides. Assim ocupado, entrou pela porta de uma capela lateral para prosseguir com suas pesquisas. O General encostou-se à parede, enxugou os olhos e suspirou pesadamente. Fiquei aliviada ao ouvir as vozes de Carmilla e Madame, que naquele momento se aproximavam. As vozes se afastaram.

Solitária, tendo acabado de ouvir uma história tão estranha, sobre os grandes e nobres mortos, cujos monumentos estavam apodrecendo entre a poeira e a hera ao nosso redor, pensava em como os incidentes pensavam tão terrivelmente sobre meu próprio misterioso caso naquele local assombrado, escurecido pela folhagem imponente que se erguia por todos os lados, densa e alta acima de suas paredes silenciosas, um horror começou a tomar conta de mim, e meu coração se apertou ao pensar que minhas amigas, afinal, não estavam prestes a entrar e dispersar tal cena triste e sinistra.

Os olhos do velho General estavam fixos no chão, enquanto ele apoiava uma das mãos na base de um túmulo destruído.

Sob uma estreita porta em arco, encimada por um grotesco entalhe demoníaco deleitando-se de forma bem cínica e medonha ao estilo gótico, vi com muita alegria a bela figura de Carmilla entrar na capela sombria.

Eu estava prestes a me levantar e cumprimentá-la, e balancei a cabeça sorrindo, em resposta ao seu sorriso peculiarmente cativante, quando, com um grito, o velho ao meu lado pegou a machadinha do lenhador e começou a avançar. Ao vê-lo, uma mudança brutal ocorreu em suas feições. Foi uma transformação instantânea e horrível, pois ela deu um passo agachado para trás. Antes que eu pudesse gritar, ele a golpeou com toda a força, mas ela mergulhou por baixo do golpe e, ilesa, agarrou-o pelo pulso. Ele lutou por um momento para soltar o braço, mas sua mão se abriu, o machado caiu ao chão e a garota se foi.

Ele cambaleou contra a parede. Seus cabelos grisalhos erguiam-se sobre a cabeça e uma umidade brilhava em seu rosto, como se estivesse à beira da morte.

A cena assustadora passou rapidamente. A primeira coisa de que me lembro depois é a Madame parada diante de mim, repetindo impacientemente a pergunta:

— Onde está Mademoiselle Carmilla?

Respondi, por fim:

— Não sei, não sei dizer; ela foi naquela direção — e apontei para a porta pela qual Madame acabara de entrar.

— Mas estive parada ali, no corredor, desde que Mademoiselle Carmilla entrou; com certeza não voltou por esse caminho.

Ela então começou a chamar por Carmilla em cada porta e passagem, mas nenhuma resposta foi dada.

— Ela se chamava Carmilla? — perguntou o General, ainda agitado.

— Carmilla, sim — eu respondi.

— Sim — ele disse. — Essa é Millarca. É a mesma pessoa que há muito tempo se chamava Mircalla, Condessa de Karnstein. Saia deste solo amaldiçoado, minha pobre criança, o mais rápido que puder. Vá para a casa do clérigo e fique lá até chegarmos. Vá embora! Que você nunca mais veja Carmilla, você não a encontrará aqui.

15. JULGAMENTO E EXECUÇÃO

Enquanto ele falava, um dos homens de aparência mais estranha que já vi entrou na capela pela mesma porta em que Carmilla havia entrado e saído. Ele era alto, de peito largo, curvado, com ombros encolhidos e vestido de preto. Sua face era escurecida e seca, com marcas profundas, e usava um chapéu de formato estranho com aba larga. Seu cabelo, longo e grisalho, caía sobre os ombros. Ele usava um par de óculos de ouro e caminhava lentamente, com um andar estranho e cambaleante, voltando o rosto ao céu e às vezes curvando-se em direção ao chão, mas parecia vestir um sorriso perpétuo. Seus braços longos e magros balançavam, e suas mãos esguias, em velhas luvas pretas, largas demais para elas, acenavam e gesticulavam em total abstração.

— O próprio homem! — exclamou o General, avançando com manifesto deleite. — Meu caro Barão, como estou feliz em vê-lo; não esperava encontrá-lo tão cedo. — Ele acenou para meu pai, que já havia retornado, e levou o fantástico senhor, a quem chamou de Barão, para conhecê-lo. Apresentou-o formalmente e eles imediatamente começaram uma conversa séria. O estranho tirou um rolo de papel do bolso e o estendeu sobre a superfície desgastada de uma tumba que havia ali perto. Ele tinha um estojo de lápis na mão, o qual usou para marcar linhas imaginárias de ponta a ponta no papel. Tantas vezes erguiam o olhar, juntos, para certos pontos da construção, que concluí ser um plano da capela. Intercalando com isso, lia algumas páginas de um livrinho sujo, cujas folhas amarelas estavam escritas cuidadosamente, enquanto pausava em certos momentos para explicações.

Eles passearam juntos pelo corredor lateral, oposto ao local onde eu estava, conversando enquanto caminhavam. Depois, começaram a medir distâncias por passos e, finalmente, todos ficaram juntos, de frente para um trecho da parede lateral, o qual examinaram com grande minúcia, arrancando a hera que se agarrava e batendo no reboco com as pontas de suas bengalas, raspando aqui e cutucando ali. Por fim, verificaram a existência de uma larga placa de mármore, com letras esculpidas em relevo.

Com a ajuda do lenhador, que logo voltou, uma inscrição monumental e um escudo foram descobertos. Eles provaram ser parte do túmulo há muito perdido de Mircalla, Condessa de Karnstein.

O velho General, embora temo não ser dado ao clima religioso, ergueu as mãos e os olhos para o céu, em mudo agradecimento por alguns instantes.

— Amanhã — ouvi-o dizer — o comissário estará aqui e a Inquisição será realizada de acordo com a lei.

Então, voltando-se para o velho de óculos de ouro, que antes descrevi, e cumprimentou-o calorosamente com ambas as mãos, dizendo:

— Barão, como posso agradecê-lo? Como podemos todos agradecer? Você terá livrado esta região de uma praga que flagela seus habitantes há mais de um século. O terrível inimigo, graças a Deus, finalmente foi rastreado.

Meu pai levou o estranho para o canto e o General foi junto. Eu sei que ele os havia afastado, para que pudesse relatar meu caso, e os vi olhar rapidamente para mim, à medida que a discussão prosseguia.

Meu pai veio até mim, beijou-me várias vezes e, conduzindo-me para fora da capela, disse:

— É hora de voltar, mas antes de irmos para casa, devemos adicionar ao nosso grupo o bom padre, que mora um pouco longe daqui, convencendo-o a nos acompanhar até o *schloss*.

Nessa busca fomos bem-sucedidos, e eu estava contente, mas indescritivelmente cansada quando chegamos em casa. Mas, minha satisfação se transformou em consternação ao descobrir que não havia notícias de Carmilla. Da cena que tinha ocorrido na capela em ruínas, nenhuma explicação me foi oferecida, e ficou claro tratar-se de um segredo que meu pai por enquanto decidiu manter de mim. A sinistra ausência de Carmilla deixou a lembrança da cena ainda mais horrível para mim.

Os preparativos para a noite foram singulares. Dois criados e Madame deveriam sentar-se em meu quarto naquela noite, e o eclesiástico junto ao meu pai vigiava pelo quarto de vestir.

O padre realizou naquela noite alguns ritos solenes, cujo significado eu não entendi, como tampouco compreendi o motivo dessa extraordinária precaução tomada para minha segurança durante o sono. Compreendi tudo claramente alguns dias depois.

Carmilla

O desaparecimento de Carmilla foi seguido pela interrupção de meus sofrimentos noturnos. Você já ouviu falar, sem dúvida, da terrível superstição que prevalece na Alta e Baixa Estíria, na Morávia, na Silésia, na Sérvia otomana, na Polônia, e até mesmo na Rússia: a superstição, assim devemos chamá-la, do Vampiro.

Se o testemunho humano, tomado com todo cuidado e solenidade, judicialmente, diante de inumeráveis júris, cada um consistindo de muitos membros, todos escolhidos por sua integridade e inteligência, constituindo relatórios talvez ainda mais volumosos do que os existentes sobre qualquer outro tipo de caso, de fato vale de alguma coisa, e seria difícil negar, ou mesmo duvidar da existência de um fenômeno como o Vampiro.

De minha parte, não ouvi nenhuma teoria para explicar o que eu mesma testemunhei e experimentei, além daquela fornecida pelas crenças antigas e bem atestadas de onde cresci.

No dia seguinte, os procedimentos formais ocorreram na capela de Karnstein.

A sepultura de Condessa Mircalla fora aberta, e o General e meu pai reconheceram, cada um, sua pérfida e bela convidada, no rosto agora exposto à vista. As feições, embora cento e cinquenta anos tivessem se passado desde seu funeral, estavam tingidas com o calor da vida. Seus olhos estavam abertos, e nenhum cheiro cadavérico exalava do caixão. Os dois médicos, um oficialmente presente, e o outro por parte do promotor do inquérito, atestaram o fato maravilhoso de que havia uma respiração fraca, mas perceptível, e um movimento correspondente do coração. Os membros estavam perfeitamente flexíveis, e a carne macia; o caixão de chumbo flutuava com sangue, no qual, a uma profundidade de sete polegadas, o corpo jazia imerso.

Aqui, então, estavam todos os sinais escancarados e provas de vampirismo. O corpo, portanto, de acordo com a prática antiga, foi erguido, e uma estaca afiada cravada no coração da vampira, que soltou um grito penetrante, da mesma forma, como poderia soltar uma pessoa viva, em seus últimos momentos de agonia. Então, a cabeça foi cortada e uma torrente de sangue fluiu do pescoço decepado. O corpo e a cabeça foram colocados em uma pilha de madeira e reduzidos a cinzas, que foram jogadas no rio e levadas embora, livrando assim o território das visitas de um vampiro.

Meu pai tem uma cópia do relatório da Comissão Imperial, com as assinaturas de todos os que estiveram presentes neste processo, anexado à verificação da declaração. Foi a partir desse documento oficial que resumi meu relato dessa última cena chocante.

16. CONCLUSÃO

Escrevo tudo isso, você supõe, com compostura. Mas longe disso; não consigo relembrar dos fatos sem inquietação. Nada, a não ser seu sincero desejo expresso tão repetidamente, poderia ter induzido-me a sentar-me para tal tarefa que desequilibrou meus nervos nos meses em que pendurou e reinduziu uma sombra do horror indescritível que, mesmo anos depois de minha libertação, continuou a tornar meus dias e noites terríveis, tornando a solidão insuportável.

Deixe-me acrescentar uma ou duas palavras sobre aquele pitoresco Barão Vordenburg, a cuja curiosa sabedoria devemos a descoberta do túmulo de Condessa Mircalla.

Ele havia fixado residência em Gratz, onde, vivendo de uma ninharia, que era tudo o que lhe restava das outrora propriedades principescas de sua família, na Alta Estíria, dedicou-se à minuciosa e laboriosa investigação das impressionantes e autenticadas tradições do vampirismo. Ele tinha na ponta da língua todas as grandes e pequenas obras sobre o assunto.

Magia Posthuma, Phlegon de Mirabilibus, Augustinus de cura pro Mortuis, Philosophicae et Christianae Cogitationes de Vampiris, de John Christofer Herenberg, e mil outras, das quais só me lembro daquelas que foram emprestadas a meu pai. Ele tinha um resumo volumoso de todos os casos judiciais, dos quais extraiu um sistema de regras que prevaleciam na condição do vampiro, algumas sempre, e outras apenas ocasionalmente. Posso mencionar, de passagem, que a palidez mortal atribuída

Carmilla

a esse tipo de monstros é uma mera ficção melodramática. Apresentam, na sepultura, e quando se manifestam na sociedade humana, a aparência de vida sã. Quando revelados à luz em seus caixões, exibem todos os sintomas enumerados anteriormente, que provaram a vida de vampiro da falecida Condessa Karnstein.

Como eles saem de seus túmulos e retornam a eles em certos momentos todos os dias, sem marcar o barro ou deixar qualquer vestígio de perturbação no estado do caixão e corredores, sempre foi considerado totalmente inexplicável. A existência anfíbia do vampiro é sustentada pelo sono renovado diariamente na sepultura. Seu desejo horrível por sangue vivo fornece o vigor de sua existência desperta. O vampiro tende a demonstrar estar apaixonado com uma veemência cativante, semelhante à paixão, por determinadas pessoas. Em sua busca, exercerá paciência e estratégias inesgotáveis, pois o acesso a uma determinada pessoa pode ser obstruído de centenas de maneiras. Ele nunca desistirá até que tenha saciado sua paixão e drenado a própria vida de sua cobiçada vítima. Mas, nestes casos, ele irá poupar e prolongar seu prazer assassino com o refinamento de um epicurista, e elevando-o por abordagens graduais astutamente. Nesses casos, parece ansiar por algo como simpatia e consentimento. Normalmente, ele vai direto ao ponto, domina com violência e estrangula, esgotando a vítima muitas vezes em um único banquete.

O vampiro está, aparentemente, sujeito, em determinadas situações, a condições especiais. No caso particular que relatei, Mircalla parecia limitar-se a um nome, e se não o seu verdadeiro, deveria pelo menos reproduzi-lo em forma de anagrama, sem omissão ou adição de uma única letra a mais.

Carmilla fez isso com Millarca.

Meu pai contou ao Barão Vordenburg, que permaneceu conosco por duas ou três semanas após a execução de Carmilla, a história do nobre morávio e do vampiro no cemitério de Karnstein, e então perguntou-lhe como ele havia descoberto o local exato do túmulo há muito escondido de Condessa Mircalla. As feições grotescas do Barão se enrugaram quando sorriu misteriosamente; ele olhou para baixo, ainda sorrindo com seu estojo de óculos gasto e se atrapalhou manuseando-o. Então, olhando para cima, disse:

— Tenho muitos diários e outros artigos escritos por esse homem notável, e o mais curioso entre eles é um que trata da visita da qual você fala, a Karnstein. A tradição, claro, descolore e distorce um pouco os fatos. Ele poderia ser chamado de nobre da Morávia, pois havia mudado sua residência para aquele território e era, além disso, um nobre. Mas era, na verdade, natural da Alta Estíria. Basta dizer que, desde muito jovem, ele fora um amante apaixonado e favorito da bela Mircalla, Condessa de Karnstein. A morte prematura dela fez com que mergulhasse em uma dor inconsolável. É da natureza dos vampiros que se multipliquem, mas de acordo com uma lei determinada e fantasmagórica.

"Pense, a princípio, em um território perfeitamente livre dessa praga. Como começa e como se multiplica? Eu vou lhe contar. Uma pessoa, dotada de certa pervesidade, põe fim à própria vida. Um suicida, sob certas circunstâncias, torna-se um vampiro. Esse espectro visita pessoas vivas em seus sonos; eles morrem e, quase invariavelmente, na sepultura, tornam-se vampiros. Isso aconteceu no caso da bela Mircalla, que era assombrada por um desses demônios. Meu ancestral, Vordenburg, cujo título ainda mantenho, logo descobriu tal situação, no curso dos estudos a que se dedicou, aprendeu muito mais.

"Entre outras coisas, ele concluiu que a suspeita de vampirismo provavelmente recairia, mais cedo ou mais tarde, sobre a falecida Condessa, que em vida fora sua amada. Ele se horrorizou ao pensar que seus restos mortais pudessem ser profanados pelo ultraje de uma execução póstuma. Possuía um curioso documento provando que o vampiro, ao ser expulso de sua existência dupla, é lançado em uma vida muito mais horrível, e resolveu salvar sua outrora amada Mircalla desse fardo.

"Ele adotou o estratagema de uma viagem até aqui, finginfo a remoção de seus restos mortais e obliterando seu túmulo. Quando a idade o invadiu, no ápice dos anos, ele olhou para trás, para as cenas que estava deixando, e considerou, com um espírito diferente, o que havia feito, tornando-se em horror. Ele traçou o caminho e fez as anotações que me guiaram até o local exato redigindo uma confissão do erro que havia praticado. Se ele pretendia qualquer outro movimento, a morte o impediu, e a mão de um descendente remoto, tarde demais para muitas vítimas, foi quem guiou a perseguição ao covil da besta."

Conversamos um pouco mais, e entre outras coisas ele disse o seguinte:
— Um dos sinais do vampiro é o poder da força em suas mãos. A mão esguia de Mircalla fechou-se como um torno de aço no pulso do General, quando ele ergueu a machadinha para atacar. Mas seu poder não acaba por aí: deixa uma dormência no membro que agarra, da qual é lentamente, se é que de fato, recuperada.

Na primavera seguinte, meu pai me levou para um passeio pela Itália. Ficamos afastados por mais de um ano. Demorou muito para que o terror dos eventos recentes diminuísse, e até agora a imagem de Carmilla volta à memória com alternâncias ambíguas — às vezes a menina brincalhona, lânguida e bonita; às vezes, o demônio contorcido que vi na igreja em ruínas; e muitas vezes desperto de devaneios, imaginando ter ouvido os passos leves de Carmilla à porta da sala de visitas.

**CONFIRA NOSSOS
LANÇAMENTOS AQUI!**

Camelot
EDITORA

CamelotEditora